Karinna Forlenza

PROPÓSITO

20 dicas para você criar o seu

Pólen

São Paulo, 2016
1ª edição

O que esperar deste livro

Este livro é prático sem abrir mão da reflexão. Ele parte do princípio de que encontrar Propósito é uma tarefa de vida, mas que pode se transformar em uma jornada muito gratificante – até mais do que um fim em si mesmo.

Encontrar Propósito está ligado a ter Clareza de quem se é, de verdade. Então, criar Propósito é criar uma vida para que você possa simplesmente ser você. Essa Clareza vem da Essência. E a Essência é mais transparente quando os Obstáculos são removidos.

Não há uma ordem específica para a leitura (ou a feitura) deste livro; ainda que os 20 exercícios possam ser feitos na sequência como estão apresentados, você poderá também utilizar a legenda temática, que classifica os exercícios e reflexões por assunto. Assim, você pode ir direto ao tema que quer trabalhar com mais ênfase:

E = para os textos+exercícios que pretendem ajudar a revelar sua Essência
O = para os que focam em ajudar você a remover Obstáculos e
C = para os que procuram ajudar a chegar à Clareza

Ajude e seja ajudado: compartilhe suas dúvidas, reflexões e achados em nossa comunidade: www.facebook.com/karinnaforlenza

Por fim, um conselho:
Não interessa em que estágio você está, o que importa é o que você quer fazer consigo mesmo daqui para frente. O melhor (e único) ponto de partida é o que se apresenta agora. O que você vai fazer com seu presente é que vai fazer a diferença no futuro.

Eu convido você a ler tudo considerando as seguintes perguntas:
- Como isso se aplica a mim?
- O que posso fazer agora?

E faça.
Faça sua alma ter voz.
Faça você ser quem você quer ser.
Agora.
Com amor e com alma,

Karinna forlenza

Coaching com alma
www.karinnaforlenza.com
www.facebook.com/karinnaforlenza

Introdução

Quem sou eu para sugerir que você leia este livro? Alguém que já passou pelo que você provavelmente está passando. Alguém que já se questionou a respeito dos rumos da própria vida, e se sentiu meio louca por questionar se deveria ou não sair do emprego bacana para ser feliz. Alguém que já se perguntou por que estava fazendo o que estava fazendo. Alguém que questionou a liberdade, o sentido, o propósito. Alguém que foi, errantemente, acertando seu caminho.

E também alguém que encontrou o caminho. Alguém para quem o caminho tem a ver com a essência. Alguém que descanalizou os próprios rios, que os deixou correr. Devagar abriu os espaços, ampliou os canais, até que fosse ele desaguando em mar aberto.

Alguém que sentiu medo de mudar, mas mudou mesmo assim. Alguém que vê nos outros suas possibilidades de simplesmente serem-se, em sua melhor versão. Em sua versão com alma.

Sumário

1. Você está se deformando para caber na forma? E 9
2. Como mudar sua história e construir a vida que você quer em quatro passos E 15
3. Comece a mudar aceitando quem você JÁ é O 21
4. Encontrando seu propósito: "Para que eu sirvo?" E, C 27
5. Encontrando seu propósito "Para quem eu sirvo?" E, C 35
6. Pare de procurar o trabalho que você ama. E seja mais livre e feliz C 41
7. O que inspira você? E a que você aspira? E 47
8. Quando chega a hora de dar novos passos e tomar seu rumo C 51
9. Vá procurar sua turma! E seja beeeeem mais feliz C 57
10. Seus objetivos (con)têm alma? E, C 63
11. Por que se preparar tanto para o futuro se você nem sabe como ele vai ser? C 69
12. Como sair do limbo em quatro passos O 75
13. Ações + tempo = a fórmula mágica para colher a vida que você quer C 81
14. Como usar bem o tempo que você tem – e parar de se sabotar O 87
15. Três passos para parar de se distrair – e começar a concretizar o que quer O 95

16. Paralisou? Pode ser excesso de... excessos! E, O 101
17. Procrastinando? Então continue E 107
18. Para onde seu próprio rio leva você? E...................................114
19. Saindo da mentalidade da escassez.
    Como me transformei usando esse exercício O.....................117
20. Agradecer para quê? E 125

Conclusão 130

Mais sobre mim 133

Legenda   E   para os textos+exercícios que pretendem ajudar a revelar sua Essência
                O   para os que focam em ajudar você a remover Obstáculos
                C   para os que procuram ajudar a chegar à Clareza

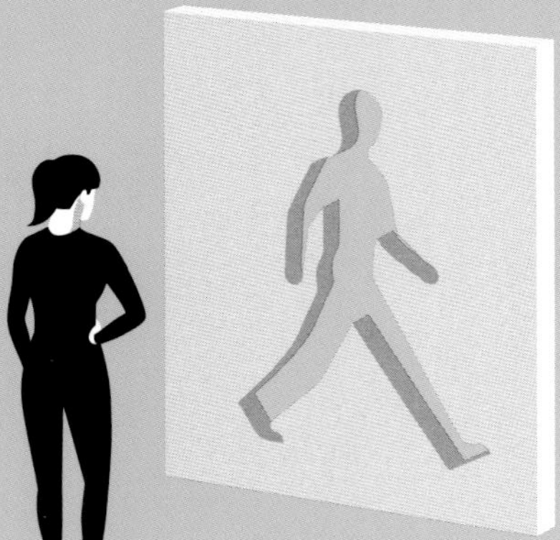

1

Você

está

se

deformando

para

caber

na

forma?

"Já falei pra você: esse seu jeito não vai levar você para lugar nenhum na vida, menina!"

"Olha, vou te falar, eu sou muito seu amigo: se você quiser vencer na vida, você tem que mudar. Tem que caber numa caixinha, se comportar de outro jeito. Ser mais aceitável."

"Eu acho que você deveria seguir a carreira de engenheiro. É o que eu fiz, o que me levou a ter sucesso. Esse negócio de fotografia não é pra você. É coisa de gente que não tem a chance de fazer uma faculdade boa, como essa que eu estou querendo ajudar você a pagar."

Conhece as frases acima, né? De alguma forma, mesmo que com outra configuração, elas estão presentes e são sentenças definidoras de muitos de nós – mesmo que não tenhamos muita consciência disso. Claro, muitas vezes as pessoas que nos falam essas coisas, sejam pais, amigos, parentes, chefes, namorados, sócios etc., o fazem com boa intenção. Eles querem que a gente se encaixe num esquema que nos leve ao sucesso, que consigamos nos dar bem e também, claro, que façamos o que é esperado. Epa, peraí: esperado por quem?

Não é preciso ser muito filosófico para entender que estamos todos vivendo em algum tipo de caldo cultural, que nos ajuda a definir o que é certo, errado, aceitável ou não. Você e eu provavelmente vivemos imersos em uma cultura que diz que bacana é ter uma bela carreira, ser magra, loira, de cabelo liso, ter um bom carro, se comportar de certa maneira e atingir um certo resultado. Se você é homem, mudam as configurações, mas você entendeu o principal – para você ser alguém, você tem que ser o tal alguém "esperado". E isso, *meldels*, faz com que a gente muitas vezes deixe de ser quem é, pra se encaixar no que esperam de nós.

Eu fico aqui pensando numa árvore que nasceu pra ser macieira e tenta ser pitangueira. Sabe como é, né? Impossível. Mas, ainda assim, ela tenta. Ela se esforça. E nunca está feliz, por que a julgam, por que esperam que dê outros frutos que não os dela e se comporte como pitangueira. E daí ela pode passar a vida inteira tentando, tentando… ou não. Pode desencanar dessa história de se deformar para se conformar e seguir seu rumo.

> Eu não acredito MESMO que a gente consiga ser feliz tentando ser algo que não é. Não acho que é assim que a gente dá vazão aos nossos melhores talentos, nem que criamos as oportunidades para exercer nosso pleno potencial. É sendo quem somos, de fato, que despertamos nosso melhor, que entregamos nosso melhor para o outro, que somos melhores seres humanos, mães, pais, filhos, alunos, profissionais.

Exercite quem você é de fato. Dê a si mesmo a chance de se perceber e ver quais são seus reais talentos e possibilidades.

Exercício 1

- O que eu preciso **fazer** para ser quem eu sou **de verdade**?

- O que posso fazer no dia de **hoje** para isso? É possível conversar com alguém? Há alguma ação a ser tomada, que possa ser feita hoje mesmo? E o que você pode fazer amanhã também? Alguma atividade que fortaleça você, por exemplo? O que mais faz você se sentir verdadeiro, livre, vibrante?

- Liste tudo isso e **faça**!

Não esqueça que pequenos passos são o que fazem a caminhada. Permita-se ir aos poucos se descobrindo – e não pare de ir em direção a quem você é de fato.

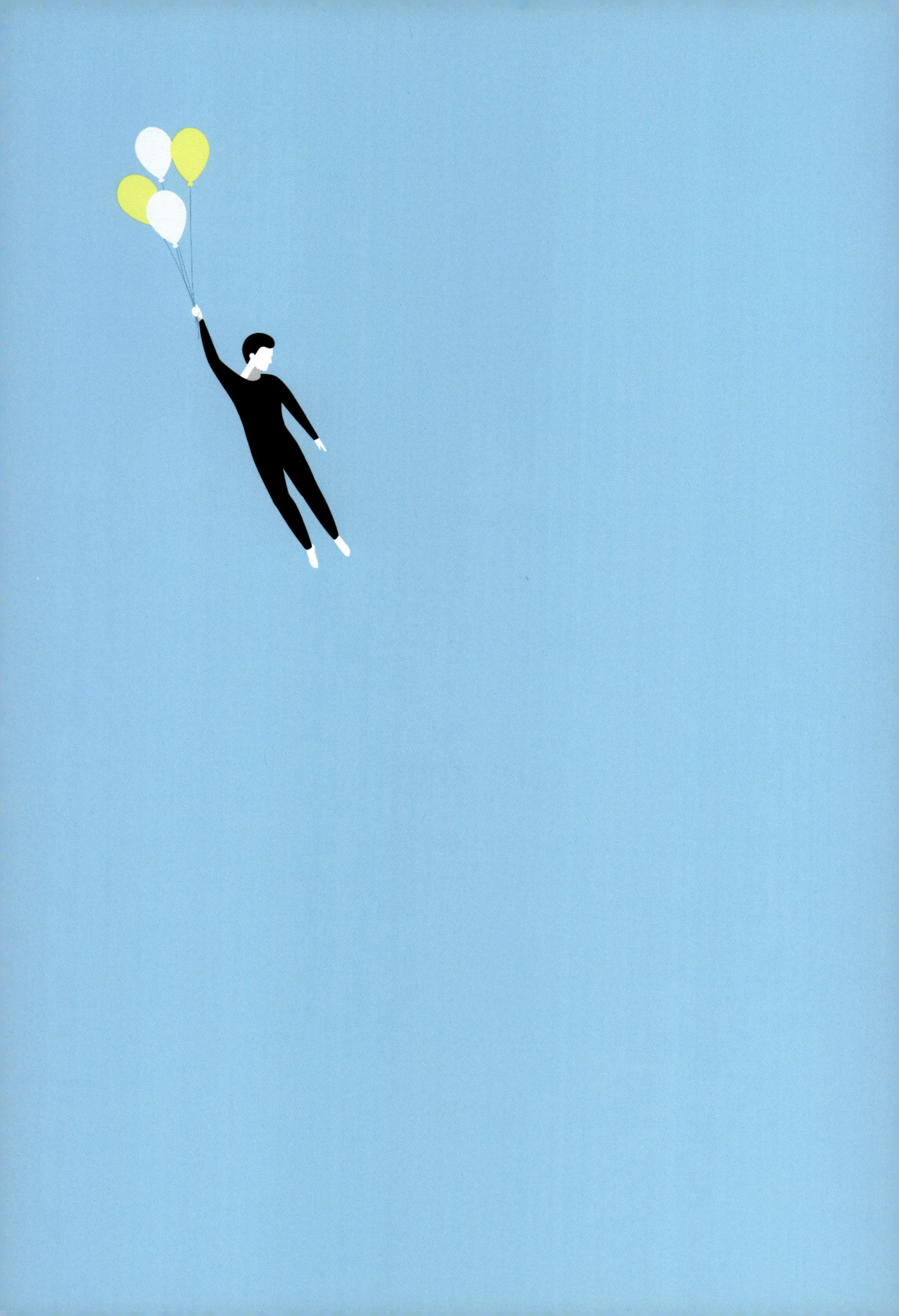

2

Como mudar sua história e construir a vida que você quer em quatro passos

(não muito difíceis)

— Mas que história é essa, afinal? O que você anda contando a si mesmo?

Recentemente conheci uma mulher muito especial, chamada Emily. Ela conduzia um workshop superinteressante do qual participei. Calhou de ela me perguntar, durante o *coffee break*: "Você ainda joga vôlei?" Eu olhei para ela meio surpresa e disse: "Não, eu nunca joguei vôlei, nem basquete, apesar da minha altura [tenho 1,77m!]. Não tenho coordenação para nada, nunca conseguir fazer esportes, sou um fiasco e blá-blá-blá…"

Os olhos claros dela me miravam com cândida sabedoria. Ela apenas me disse, ao final de minha ladainha: "É mesmo? Sei…" Então pediu licença e saiu, me deixando lá sozinha.

Fiquei parada, xícara de café na mão, me dando conta do tanto que essa história que me contei virou uma Verdade. E quanto essa Verdade definiu, por tantos anos, o que fiz ou deixei de fazer com meu próprio corpo. Pensei: *puxa, de onde vem essa crença?* Ok, eu **sou** descoordenada, mas isso me impossibilita de fazer **todo** tipo de esporte? E o que mais deixei de fazer, afinal? Ali, naquele momento, percebi algo muito importante: que essa história que me conto é, no fim das contas, um ponto de inflexão: algo que me impede de seguir como eu quero, para onde quero.

> Não sei se já aconteceu com você: de repente, por alguma razão, você percebe que o que vive HOJE tem a ver com algo que aconteceu lá atrás, e você nem se dá conta de que está sustentando algo (um hábito, um comportamento, uma crença...) que pode nem ser mais válido!

Então, como me dou conta dessas histórias e as mudo? Para isso, temos uma atividade prática, que não é muito trivial. Digo isso não para desanimar você, mas para preparar seu espírito: este é um exercício profundo e transformador – e por isso algumas pessoas fogem dele. Sabendo disso, encorajo você a encará-lo como uma oportunidade de mudança real, de libertação de coisas que já não servem mais, para construir a vida que você sabe que quer e merece ter. Vamos nessa?

Exercício 2

1º Passo Escolha um momento tranquilo, em que você possa se dedicar sem ser interrompido por algum tempo. Se assente, respire ao menos três vezes mais profundamente. Então, responda à seguinte pergunta:

Que histórias conto hoje a respeito de mim mesmo?

Deixe vir quantas histórias surgirem, não se preocupe em ser preciso – apenas uma frase às vezes já ajuda a lembrar uma narrativa inteira. Exemplos:

"Eu não consigo tal coisa…"
"Eu não sei…"
"Eu não posso…"
"Eu sempre fui assim."
"Eu sempre acreditei que…"
"Esse é o jeito que eu faço as coisas"
"Quando eu era pequeno…"
"Quando estudava em tal escola…"
"Isso não é possível, pois…"

E por aí vai.

2º Passo Agora, escolha uma dessas histórias. Qualquer uma, talvez a mais significativa hoje para você. Faça então uma espécie de pesquisa com ela:

De onde veio essa história? Quando começou? Com quem aprendi? Quem me fez pensar/acreditar/me comportar desse jeito? O que sustenta essa história? Ela ainda é válida? Que critérios a validam hoje?

Anote o que for relevante.

3º Passo (Eu sei, é difícil! Mas vamos lá, vale a pena e você já chegou até aqui.) Pergunte-se honestamente:

O que é que eu estou vivendo hoje como consequência desta história que venho contando? O que ando fazendo ou deixando de fazer em função dela?

4º Passo Reescreva sua história! Sim, reescreva literalmente. Aqui não é o caso de ser imaginativo, mas sim honesto com você mesmo, ouvir seu instinto e deixar fluir. Construir por construir uma narrativa vai apenas postergar seus planos de fazê-la virar realidade.

Use as seguintes perguntas como guia:

Como você gostaria que fosse essa história? Que mudanças possíveis você poderia fazer para que ela seja distinta agora? Que vida você criaria se a narrativa fosse outra?

Com esses quatro passos, você pode começar a se dar conta dessa e de outras histórias que definem você hoje e efetivamente reescrever uma nova realidade. E aí, dá até para jogar vôlei!

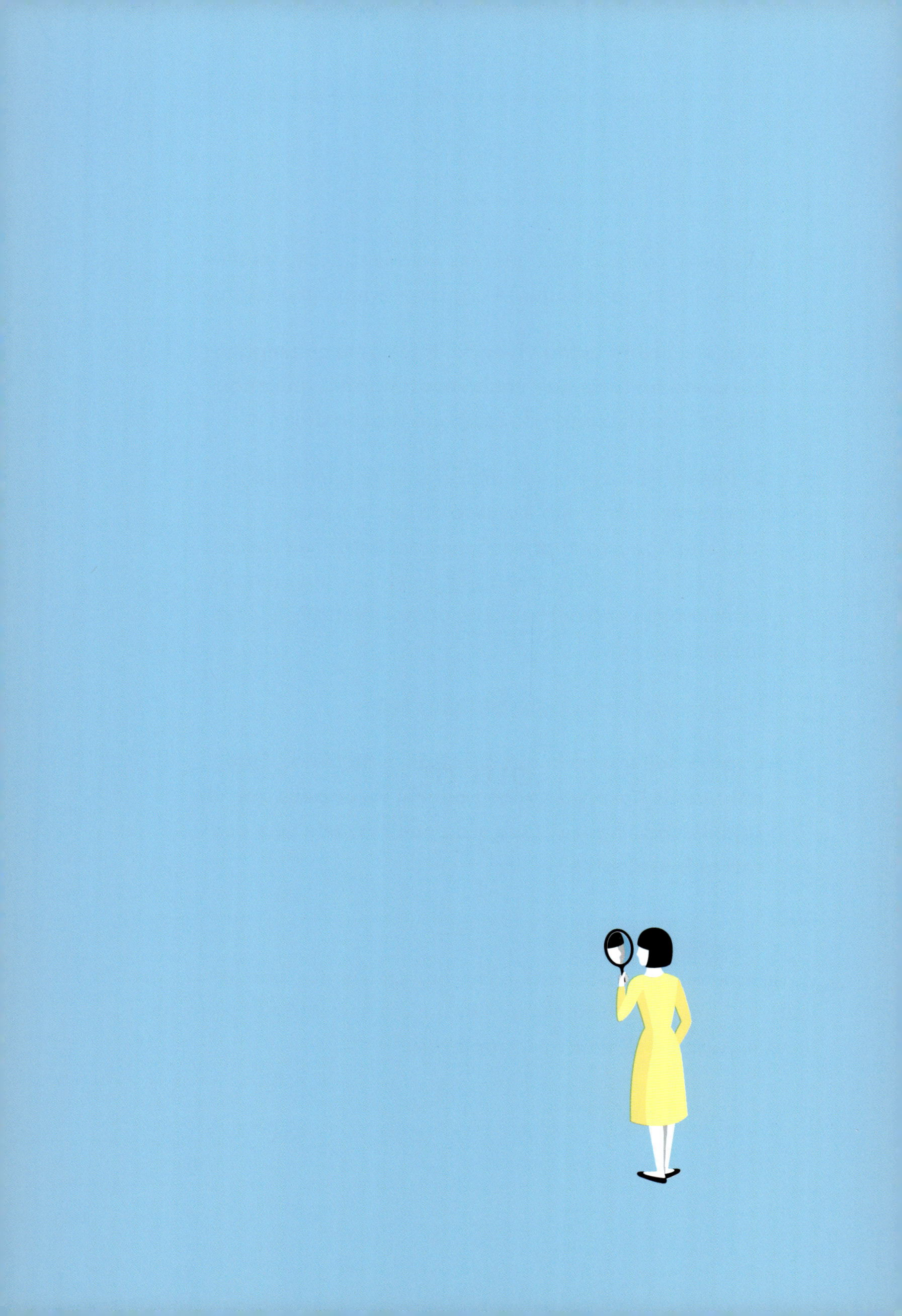

3

Comece a mudar aceitando quem você JÁ é

Eu venho falando isso ao longo do tempo, em todas as oportunidades possíveis. Se você leu meus outros textos, andou vendo meu site ou acompanhando meu trabalho pela minha página no *Facebook*, vai identificar essa deixa, que afirma o que há de mais fundamental de acordo com o que acredito: está tudo bem em ser quem você é!

É até curioso: durante o processo de coaching, percebo que causa certo estranhamento em meus clientes quando digo isso. "Como assim, está tudo bem comigo?" E me olham com surpresa quando afirmo: "Isso, está tudo bem em ser quem você é. Vamos com o que já temos, é o melhor (e o único) ponto de partida que há".

Porque a ideia é validar quem você é hoje e não buscar corrigir seus "defeitos" ou consertá-lo ou buscar metas que não ressoem intimamente em você. Não. Nós vamos ajudá-lo a deixar florescer tudo que emana naturalmente de sua fonte natural. Vamos acatar e aceitar você, ser curiosos com isso, e descobrir o que vem. Após esse trabalho de validação é que percebemos o que pode ser feito para que você se expresse melhor e construa sua vida a partir de quem você é de fato.

Não considero esta uma tarefa simples, mas é o que vim aqui fazer nesta vida: ajudar a abrir espaços para o fluxo de seu próprio rio. Criar formas para que você expresse nesse mundão velho de guerra sua melhor contribuição. Encontrar maneiras de fazer sua caminhada de forma que você se sinta vivendo um cotidiano conectado, potente e com bem-estar.

Então, como deixar fluir aquilo que se manifesta como verdadeiro, como reflexo de sua alma, em sua vida? Vamos lá. O tema é complexo, mas vamos começar a arranhar essa superfície com uma atividade, dividida em três passos:

Exercício 3

1º Passo Em um momento só seu, faça uma redação sobre si mesmo. Use essas perguntas como guia:

Quem eu já sou hoje em dia? Que talentos tenho? Que experiência já vivi? Quais habilidades surgiram ao longo dos últimos anos? Quais meus pontos fortes? Quais características acho que tenho? De que aspectos não gosto tanto?

2º Passo Agradeça. Sim, seja grato por quem você é. Se é parando e fazendo uma prece, ou ritualizando isso, ou celebrando com uma dança, não importa. É com você. Eu só quero que você tenha a chance de se reconhecer.

3º Passo Por fim, comece a direcionar essa atividade. De tudo que você levantou, pergunte-se:

Disso tudo que sou, o que mais me faz vibrar? O que faz mais sentido? O que eu gostaria de ampliar, com a finalidade de abrir ainda mais espaço de aceitação e, quem sabe, construir uma forma de viver que me valide a cada instante?

Como posso aceitar também as coisas de que não gosto tanto em mim? Como acolher minhas próprias dificuldades? Espero que esse texto tenha ajudado você a dar a dimensão do que eu de fato acredito: você já é. E esse é seu melhor ponto de partida.

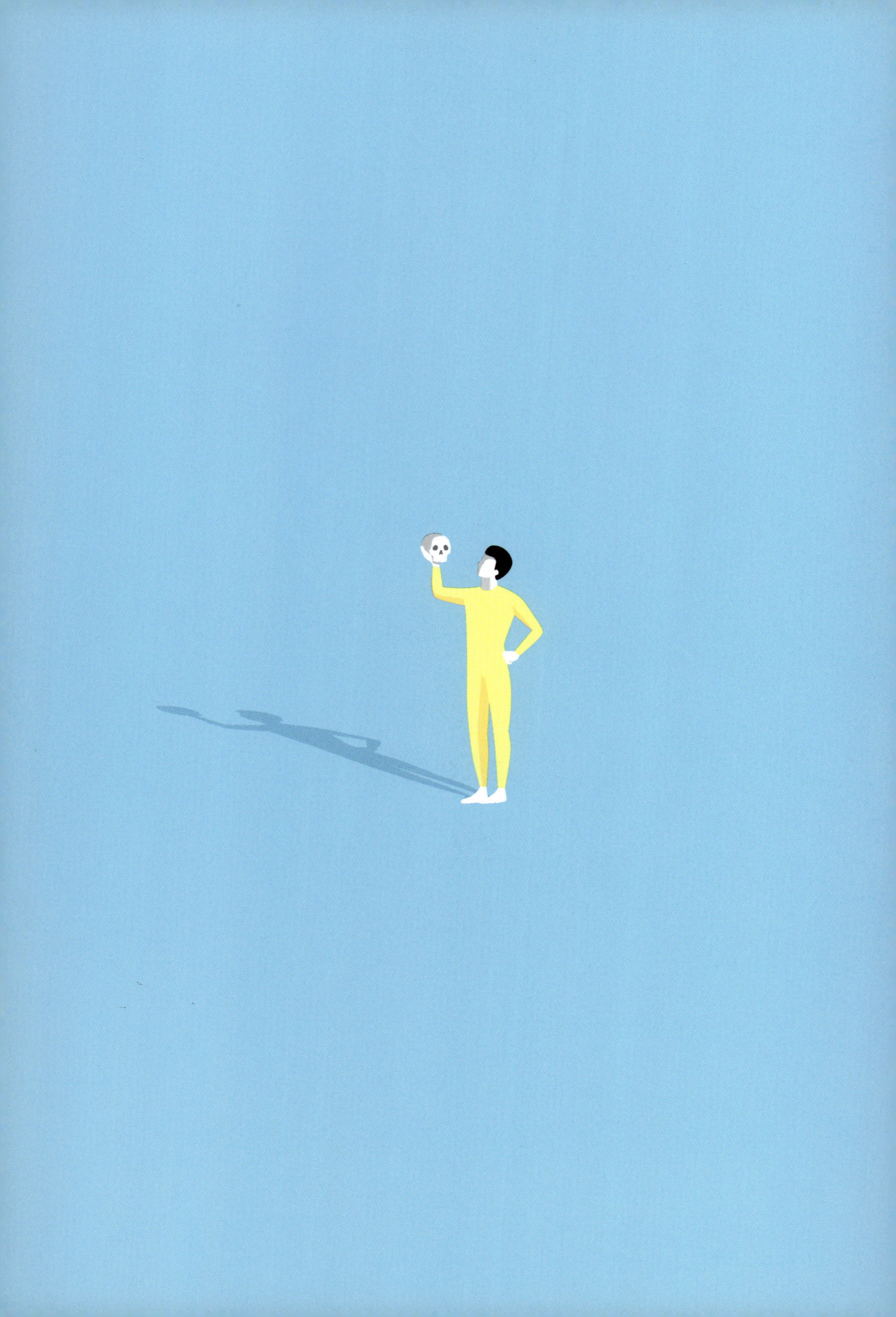

4

Encontrando propósito: "Para que eu sirvo?"

Eu aposto: todos, absolutamente todos os seres humanos conscientes devem ter se perguntado isso algum dia: – Quem eu sou? Para que eu sirvo?

São perguntas profundas, que não são respondidas assim, num texto como este. Mas adoro desafios e quero começar a trazer formas de olhar para esse assunto com mais propriedade, lucidez e leveza. Neste artigo, vamos fazer esclarecimentos e realizar uma atividade para ampliar sua visão a esse respeito.

Antes de mais nada: eu não sou psicóloga, nem médica, nem sigo doutrinas espirituais que me deem condições de afirmar categoricamente nada. Mas eu observo. E o que vejo? Uma angústia imensa por não sabermos responder a essa pergunta tão fundante de nossas vidas, apesar de todo o arsenal disponível de terapias, autoajuda, apoio espiritual, informação e conhecimento. Então, vamos nos acalmar, combinando de cara: essa é uma pergunta de vida inteira. E você tem a vida inteira para responder. Concorda?

Obviamente que isso não resolve o problema – mas ajuda a entrarmos no campo do que é possível. E o que é possível? É o que temos **hoje**. O que há no presente. Não no passado, nem no futuro. Não no que falta, nem não que não é. Resta-nos olhar, portanto, para o que você **já é** e o que você **já** tem.

E o que você já é a gente pode ver de várias formas. Eu particularmente ajudo meus clientes a ir atrás daquilo que é a essência deles e que, de alguma forma, foi encoberto por diversos acontecimentos ao longo da vida. Não é o caso de discutir agora o porquê disso, ou o que se sucedeu. Mas é importante ter consciência de que pode acontecer de, neste momento, você ter dificuldade de se enxergar justamente porque existem muitas camadas encobrindo sua própria percepção acerca de sua essência.

> E está tudo bem. Mesmo.
> É o estado em que você se encontra
> hoje – e não adianta brigar com isso,
> nem ir contra. É mais produtivo
> aceitar que você está assim neste
> momento de sua vida e relaxar,
> até para ir dissolvendo esses escudos
> aos poucos, com suavidade, e ir
> ampliando seu campo de visão.

Então vamos começar a adentrar essa jornada com uma atividade. Como sempre, sugiro que você dedique um tempo sem interrupções para essa prática, e a faça em um lugar tranquilo. Uns 40 minutos são suficientes, mas fique à vontade para fazer no seu tempo.

Exercício 4

1º Passo Responda: **O que de fato faz você vibrar?**
E, por vibrar, entenda-se o seguinte:

Aquilo que faz seus olhos brilhar;
Aquilo que você faz com tanta facilidade que nem se dá conta de que está fazendo (e muitas vezes deixa de valorizar por esse mesmo motivo);
Aquilo que deixa você com a sensação de que o tempo passou tão rápido que você nem percebeu;
Aquilo que deixa você leve;
Aquilo que parece que você foi feito para fazer.

Deixe vir tudo, absolutamente tudo. Isso é um brainstorm, ou seja, uma chuva de palpite. Vale tudo, só não vale se censurar.

2° Passo Responda: **O que as pessoas acham que você faz com muita naturalidade?**

Geralmente as pessoas nos dizem algo do tipo: "Nossa, você nasceu para isso". Né? E a gente nem sempre ouve com ouvidos devidamente atentos. Mas tente recobrar o que as pessoas dizem. Liste tudo que lembrar.

> **3º Passo** (opcional) Pesquisa.
>
> Dá pra fazer uma atividade muito legal para aprofundar essa sua investigação, indo mais a fundo no que as pessoas percebem a seu respeito. É uma pesquisa bem simples, mas, geralmente, reveladora.
>
> Pergunte a pelo menos 20 pessoas quais são as coisas que elas acham que você faz com naturalidade. Tipo: Quais as coisas que você acha que são meus dons ou talentos naturais? Anote tudo.
>
> **4º Passo** De tudo que você levantou, escolha as três ou quatro coisas que mais fazem sentido para você, ou seja, que de fato representam a sua essência.
>
> **5º Passo** Para cada um desses três ou quatro itens, veja que atividades (eu não disse profissões, ok?) você poderia desenvolver. Não tente neste momento ser realista, mas abra as possibilidades e deixe fluir. Mais para frente vamos fundamentar e dar rumo a isso.

Assim, por exemplo, se você é naturalmente bom com as crianças, quais atividades **poderia**, ou melhor, **gostaria**… não, espera. Deixa-me enfatizar: **amaria** fazer. O que pode surgir: Ser professora de artes de crianças pequenas. Ser brincadora voluntária em creches. Ser animadora de festas. Ser babá. Organizar festas infantis. Ser escritora/ilustradora de livros infantis. Ser pedagoga. Escrever sobre ser mãe ou pai de crianças pequenas. E por aí vai.

Insisto: não imponha limites para sua imaginação. Apenas abra o fluxo das ideias e se jogue nessa brincadeira. Esgote todas as possibilidades.

Quando acabar, deixe estas anotações à vista. Aprecie-as. Se der, cole no espelho ou numa parede para que você sempre veja.

Agradeça, reconheça o que veio. **Não** foque no que **não** veio. Veio o que veio e pronto. Aceite. Por hora, faça "apenas" isso (que não é pouco, convenhamos).

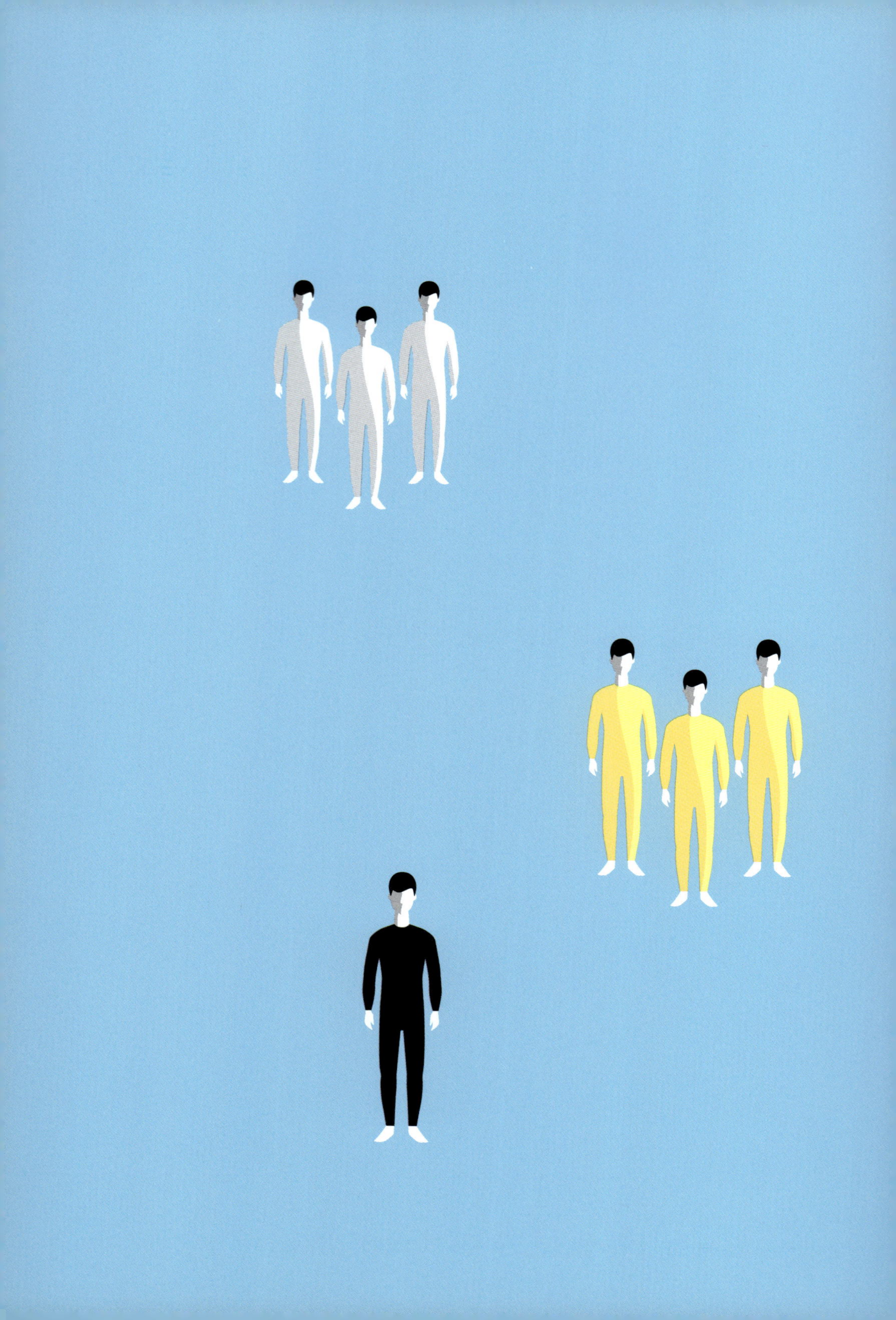

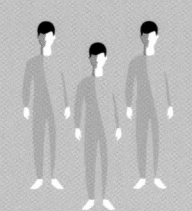

5

Encontrando propósito: "Para quem eu sirvo?"

▬ Para o que sirvo? Vamos dar continuidade a essa nossa questão, apontando agora para outro direcionamento.

Quando abrimos esta conversa, de cara combinamos que essa é uma pergunta de vida – ou seja, você tem a vida inteira para responder. Mas também nos propomos a iniciar essa jornada com algumas atividades, inicialmente pensando em ampliar seu olhar interno, com os cinco passos para descobrir "Para que sirvo". Agora vamos mirar para fora. A proposta aqui é mudar a natureza dessa questão, modificando-a de maneira simples, mas muito potente: Para **quem** eu sirvo? Quem eu ajudo com meus dons, talentos, experiências, valores? Quem pode viver melhor com o que eu sei?

Brené Brown, em sua magnífica palestra no TED sobre o Poder da Vulnerabilidade, que já tem mais de 15 milhões de visualizações, fala o seguinte no minuto 3:08: "… o que você se dá conta é que a Conexão é a razão pela qual estamos aqui. É o que dá propósito e sentido para nossas vidas. É a razão de tudo".

5. Encontrando propósito: "Para quem eu sirvo?"

Eu acredito nisso. Acredito que somos biológica e socialmente preparados para a conexão humana. Então, quando deparamos com a pergunta "para que sirvo", temos de considerar que não somos sozinhos. Somos na relação com o outro, como diria o biólogo chileno Humberto Maturana.

> Ao procurarmos uma resposta sobre para que você serve, portanto, olhe para suas possibilidades de conexão real.
>
> Perceba que seus dons, talentos etc., podem ser pouco significativos se não colocados à disposição do outro.
>
> O que você traz à mão é único – e pode fazer muita diferença na vida das pessoas.

Então vamos a uma atividade para encontrar uma boa equação entre sua melhor possibilidade de servir para alguém (de preferência muitos alguéns!) e também, de quebra, transformá-la em fonte de renda. A ideia aqui é mapear qual(quais) sua(s) melhor(es) oferta(s) de valor, independentemente se você vai empreender ou trabalhar para alguém. Sua oferta de valor é o melhor de você, a serviço dos outros. Como sempre, reserve um tempo para você, de preferência em um lugar tranquilo e livre de interrupções. E vamos lá:

Exercício 5

1º Passo Responda às seguintes perguntas:

De que maneira você ama trabalhar com as pessoas? E qual a melhor forma como isso se dá? (Pense no que você faz tão naturalmente que nem percebe o tempo passar). **Como você acha que melhor aporta valor aos outros? Como melhor facilita a vida das pessoas?**

Procure não se censurar, apenas deixe fluir e abra sua cabeça para começar a pensar de maneira mais abrangente e inovadora. Tente chegar a pelo menos 10 respostas.

2º Passo O que você acha que seria o sonho ainda não realizado de possíveis clientes/empregadores? Que fantasias eles podem ter a respeito de sua oferta de valor?

Não interessa se é viável você realizá-los ou não, mas é importante para você colocar sua cabeça pra funcionar de um jeito diferente. Veja quais as coisas mais loucas que surgem, fique em paz com elas e bote ao menos 10 dessas no papel.

> **3º Passo** Volte à 1ª etapa e circule os itens que você acha que as pessoas pagariam para fazer.
>
> **4º Passo** Volte à pergunta da 2ª etapa e circule aquelas fantasias que você teria condições e vontade de prover para possíveis clientes/empregadores.

Agora observe o que descobriu: você provavelmente tem à mão uma lista com várias ideias de como pode Servir aos outros. Com isso, pode começar a planejar seus próximos passos, seja de um negócio ou projeto baseado no que você faz de melhor ou mesmo em como infundir sua melhor contribuição em seu trabalho atual e/ou futuro.

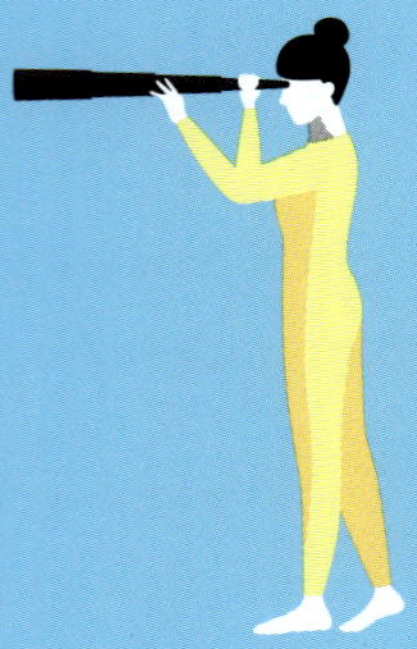

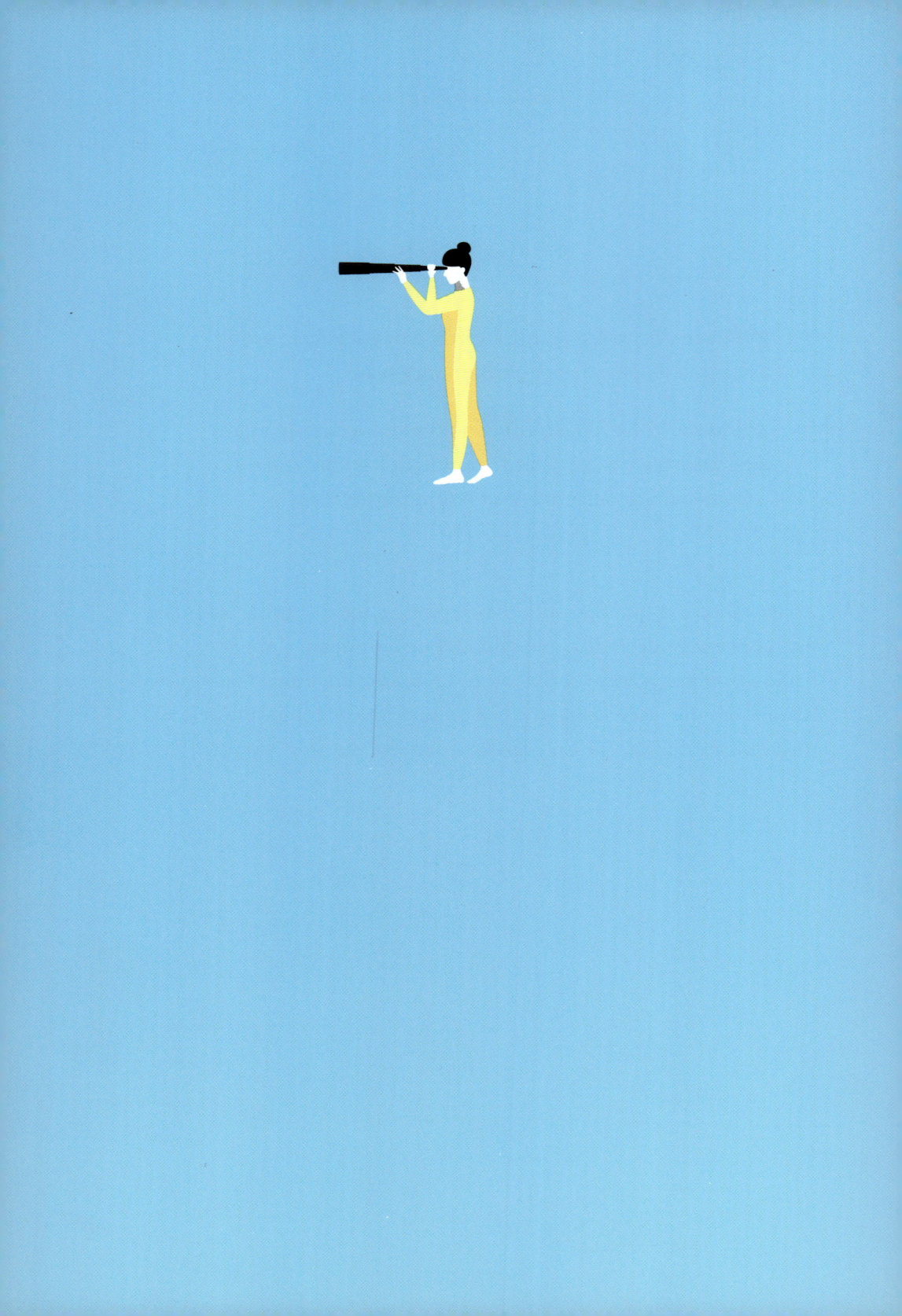

6

Pare de procurar o trabalho que você ama. E seja mais livre e feliz

Tenho observado que muita gente passa um bom tempo tentando encontrar o trabalho dos sonhos. Pudera: desde pequenos ouvimos essa conversa de "O que você vai ser quando crescer?" E a resposta fatalmente tem a ver com uma profissão. Depois disso, quando temos a oportunidade, passamos parte da adolescência buscando descobrir que faculdade que vamos cursar. E não pode ser qualquer uma, tem que ser um curso que vá responder a todos os critérios que envolvem essa escolha: satisfação pessoal, possibilidade de ganhar dinheiro, obter status e preencher as expectativas dos pais. *Ops!*... dos outros! Depois de adultos, o que ouvimos ao conhecer alguém é a seguinte frase: "O que você faz?" Como se aquilo com que você trabalha definisse o todo de sua pessoa.

Com tudo isso, fica complexa a tarefa de encontrar aquilo que se ama fazer, ou a tal profissão dos sonhos. "Em que roubada nos metemos", penso com meus botões. Criamos uma expectativa gigante, à qual nos dedicamos a seguir com tanto esforço! No fundo, o que conseguimos com isso são pré-requisitos para a felicidade.

Qualquer expectativa, de qualquer ordem, nos condena a ela mesma. É uma espécie de rótulo colocado em uma caixinha: ou você se encaixa ou está fora.

Esperar que uma profissão ou um trabalho respondam a **todos** os seus anseios é uma das maiores expectativas que temos. Só perde para a tal da "cara metade". E é nessa busca que muitas vezes passamos boa parte de nossa vida, sem nos darmos conta de que no cotidiano, na jornada, pode estar escondido o verdadeiro tesouro. Ou seja, enquanto você está buscando a profissão dos sonhos, fica cego para seu próprio bem-estar, pois só enxerga a expectativa. Você não está presente. Está buscando ter/ser algo que não está disponível.

> Mais do que encontrar a tal paixão pelo trabalho, é importante entender o que lhe traz bem-estar. O bem-estar é o termômetro de saúde da alma. É quando você se sente bem consigo e em paz, quando o que você sabe e curte fazer cabem na mesma frase, quando você se sente válido, quando vê que pode servir ou ajudar alguém, quando pode ser reconhecido e valorizado por isso tudo. Assim, um único trabalho pode não dar conta. Mesmo que nos seus sonhos pareça que sim.

Eu sempre falo pros meus clientes de *coaching*: eu **não** acredito mais em profissões, acredito em um mosaico de ocupações, que dão mais conta de expressar sua alma. Não estou dizendo com isso que uma faculdade não tem valor, ou que uma profissão é coisa do passado. Você pode ser engenheiro e gostar do que faz, óbvio. Mas isso não impede que você tenha alguma(s) outra(s) ocupação(ões) que traga(m) sentido, que auxiliem a concretizar sua essência. As opções das ocupações são infinitas! E o mundo contemporâneo tem espaço para essa liberdade.

Hoje, o que mais precisamos é de pessoas com visão sistêmica, que sabem colaborar com as demais, servir a partir de si mesmas, com amor. Claro, você tem contas para pagar (e quem não tem?), mas você pode fazer isso e viver com alegria. Pare de achar que só depois que tiver cumprido tal coisa, tiver tal título, encontrado tal fórmula mágica do trabalho que ama é que você terá o direito de ser feliz!

Sei que é uma quebra de paradigma isso que estou trazendo, mas minha missão é libertar as pessoas das amarras que as impedem de sê-las. Então vamos a dois exemplos reais, para ajudar a compreender isso na prática.

O primeiro é o da Mana Bernardes. Vejam como ela se descreve em sua coluna na revista *Vida Simples*: "Mana é designer e artista, atua em projetos de desenvolvimento humano, desenha joias, projetos e processos. A poesia é o eixo de tudo o que faz". A moça já fez coleções com seu nome para a TokStok e tem um chinelo de marca própria pela Ipanema, entre outros feitos.

O segundo é o de uma mulher incrível que conheci no ano passado. Ela se chama Hella e tem 63 anos. Após um workshop intenso de que participamos juntas por uma semana na Áustria, ela me convidou para ir à casa dela, a mil quilômetros de onde estávamos. Convite aceito, saímos nessa *roadtrip*, ouvindo música, conversando e parando para ver as incríveis paisagens. Além de ser uma companhia maravilhosa, o que mais me deliciou foi ver como essa mulher era radiante, segura e de bem com ela mesma.

Ao mesmo tempo em que curtia a viagem, eu me perguntava: como alguém tão reconhecido, que está se aposentando de seu posto de professora titular da cadeira de psicologia de uma das mais importantes universidades alemãs, estava tão confiante de seu presente e de seu futuro? Ela se encarregou de me esclarecer, com um sorriso: além de professora universitária, tinha várias outras ocupações – era orientadora de doutorado e mestrado, terapeuta clínica, voluntária em centros de atendimento a moradores de rua, escritora de crônicas, cantora lírica que se apresenta frequentemente, conselheira de jovens e uma avó presente. Ou seja, ela, assim como a Mana, não tinha posto todas as fichas numa única profissão. Ao contrário, tinha muitas maneiras de se expressar, em forma de trabalho remunerado ou não. Isso dava para ela sentido e direção, bem-estar e confiança, e faziam dela uma pessoa radiante.

Em comum, ambos os exemplos trazem um aparente eixo central, sobre o qual gira várias expressões; no caso da Mana, a poesia. No caso da Hella, a profunda empatia pelos seres humanos. Deixo aqui então algumas perguntas:

Exercício 6

> De que forma você expressa sua essência? Ou melhor, quais as diversas formas possíveis que você teria para se expressar? Que ocupações poderia ter? E de quais poderia viver?

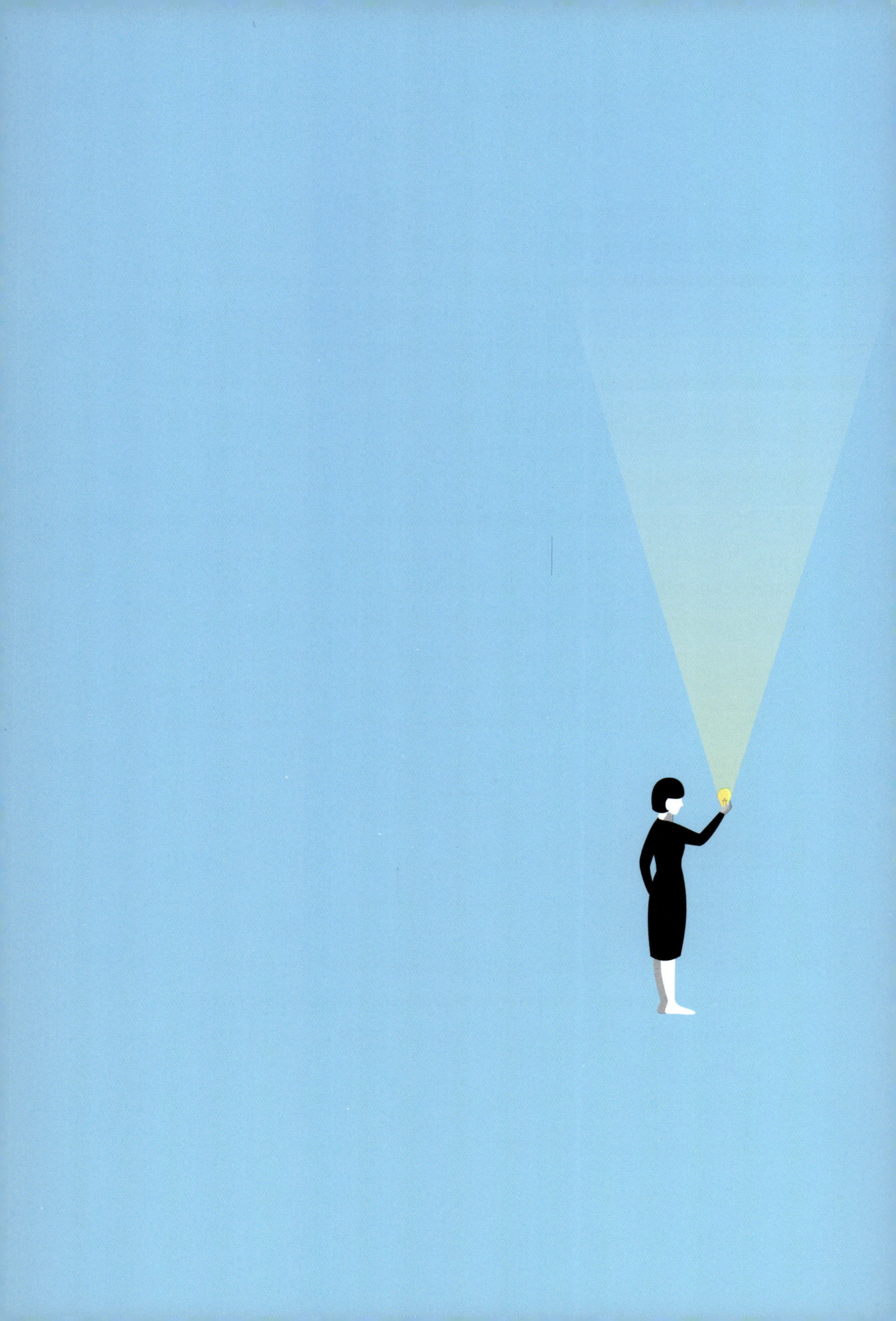

7

O que inspira você? E a que você aspira?

Aspiração tem a ver com desejar ter algo. É o "ter que ter". Geralmente a gente aspira a ser alguém, ter algo material ou alcançar um certo objetivo, que se materializa na forma de algo mais concreto. É ligado a um verbo, a um fazer, e geralmente se processa intelectualmente.

Inspiração significa "Infusão da vontade divina na consciência humana", segundo o dicionário Prebiram.org. Nada mais poético e preciso.

Ou seja, enquanto uma tem o poder de fazer você agir, a outra traz clareza. Uma clareza ampliada, que geralmente é mais potente quando vem de dentro para fora. Há que se cuidar para não confundir as coisas e achar que o que vem de fora vai cumprir a missão de inspirar você. O que vem de fora pode vir para materializar – mas a inspiração é o que emociona verdadeiramente, faz você querer movimentar. Por quê? Por que traduz e também reforça sua essência, em retorno. Aquilo que inspira geralmente tem a ver com quem você de fato é, na alma.

E se isso parece não fazer muito sentido para você, saiba que não está sozinho: percebo que praticamente todos os meus clientes particulares de Coaching com Alma não só se confundem como não se dão conta de que há uma diferença. Em parte, porque a gente está imerso numa cultura que privilegia o ter e não o ser – o que nos faz acreditar que se algo que almejamos (geralmente algo bem visto pela sociedade, pela família, pela empresa, pela mídia etc.) se concretizar, vamos nos tornar mais felizes. Pode ser, mas o que nos inspira traz uma outra evocação: geralmente é o frescor da alma que surge nessas horas e nos faz querer ir além, mas com sentido verdadeiro para nós mesmos.

Exercício 7

Essas questões podem ajudar você não só a diferenciar uma coisa da outra, mas também a colocar em perspectiva o que inspira você – e quem sabe até dê para ver uma nesga do que clama essa sua verdade interior...

O que inspira você? O que faz você vibrar? Você já buscou algo fora, na expectativa de ter inspiração?

8

Quando
chega
a hora
de
dar
novos
passos
e tomar
seu
rumo

— Eu estava pensando outro dia: o que mais preciso para tomar o rumo que eu quero?

Dei-me conta de que já tinha tomado decisões importantes, avaliado ao que teria de renunciar, compreendido os recursos que precisaria ter, planejado os próximos passos e, mais importante, tinha clareza e um querer muito grande sobre para onde queria ir com minha vida.

Isso tudo tomou um bom tempo, talvez um ano, talvez mais. O que faltava, então, para ir viver como eu queria?

Penso que às vezes as situações chegam a seu estado de prontidão simplesmente porque é sua melhor possibilidade. É como se tudo que você pudesse fazer já tivesse sido feito e essas coisas todas ficam aí, pairando sobre a cabeça. Mas elas não ficam à toa. Ficam à espera de uma atitude, algo que as transmute e, finalmente, as coloque em marcha, rumo a uma nova feição da realidade.

Você já deve ter passado por isso. Tempos de ruminação (ou seria reclamação?) sobre a infelicidade em seu emprego, cálculos aproximados sobre quanto custaria um sabático ou uma saída do trabalho, questionamentos sobre um relacionamento que parece trazer mais infelicidade do que sentido, pulgas atrás da orelha com amizades que não parecem mais ter liga... Geralmente faço a seguinte pergunta aos meus clientes de *coaching*: se você já sabe de tudo isso, o que é então que você ainda está fazendo aí? No velho mundo, no que não te cabe mais (ou melhor, onde você não cabe mais)?

Meu papel inclui apontar que há sempre um momento de passagem, em que não estamos nem lá e nem mais cá. É quando visualizamos uma possibilidade, pensamos que há, sim, uma chance de viver de forma mais abundante, gostosa, fluida... Mas aí bate o tal do... medo. É a principal razão para não seguirmos adiante, pelo menos no que venho observando em minha prática de trabalho. Mas o medo sempre vai existir – e isso não é novidade. "Vai com medo mesmo", eu digo. Os grandes saltos na vida se dão quando damos as mãos para esse cara e voamos juntos.

É claro, é importante reconhecer o momento de transição, avaliar prós e contras etc., mas tenha consciência de que isso tudo, se não estiver acompanhado de uma ação constante, não vai fazer nada virar. Nunca vi alguém construir uma vírgula sequer só com a força do pensamento.

Então, vamos ao exercício:

Exercício 8

- Que situação você quer mudar, em qualquer área de sua vida?

- O que você reconhece que já fez e plantou?

- De que forma você pode contornar o medo e dar o próximo passo?

Por fim, um toque: pode ser que você esteja com medo, mas muito, muito pronto.

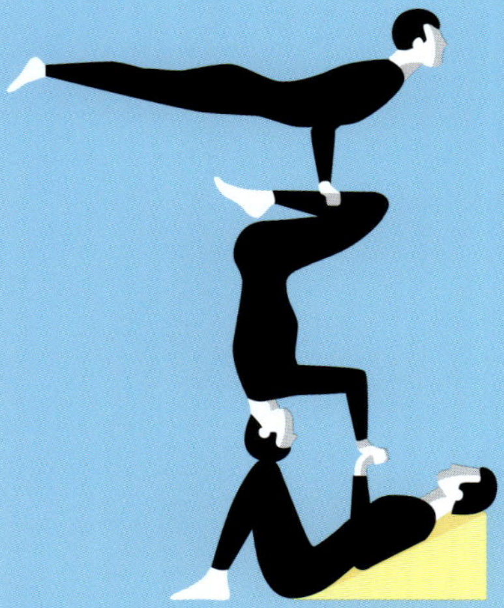

9

Vá procurar sua turma! E seja beeeeem mais feliz

— Um seminário, ou workshop, ou curso, pode ser um laboratório para você ver o quanto está imerso num universo particular. Geralmente, repare, quando estamos num desses eventos, desde que seja por querermos estar lá e não porque a "firma" mandou, deparamos com outras pessoas na mesma situação. Estão lá por que querem. Estão lá porque se interessam por aquele assunto. E essas pessoas podem ter mais em comum com você do que o tema do evento.

Quando estamos rodeados de pessoas que compartilham valores ou objetivos comuns, ao menos para mim, é mais fácil nos sentirmos bem a nosso próprio respeito. E essa sensação é uma das mais importantes que há. Quando estamos entre pares como esses, nos sentimos vistos e validados. Essa é a sensação básica de referência para um ser humano, de acordo com o que acredito. Sermos válidos e vistos significa que somos amados.

Quando estamos em um ambiente de aceitação, podemos relaxar e ser quem somos. Podemos ter defeitos (já os temos, não é mesmo?), podemos exercer nossas opiniões e ser valorizados. E é geralmente quando mais aprendemos e nos desenvolvemos. Imagine um tempo com pessoas que sabem muito ou se interessam também por um assunto que você curte. Você se sente confortável com aquelas pessoas, certo? Até fala: nossa, que alívio, não estou louco por gostar disso aqui. Tem mais loucos no bando. E para essas pessoas você também é importante, pelas mesmas razões: sua presença as valida!

Gostaria então de propor um mergulho em suas reais redes de contato. Não estou falando de amigos do Facebook que você mal conhece nem de seu *network* do LinkedIn, mas no universo de pessoas que você navega no seu cotidiano, para ver como você está de suporte, para ser quem é e para crescer.

Exercício 9

Lá vai! São três etapas fáceis e bacanas.

1º Passo Perguntinhas básicas para esquentar os motores:

Como está você de turma? Onde você trabalha, é acolhido em suas ideias ou é um estranho no ninho? Onde ou em que situações você mais se sentiu

acolhido, ou em casa? Descreva pontualmente essas situações. **Com quem você se sente confortável para ser quem é? E para aprender o que gosta? Quem acolhe você em suas loucuras? Onde mais essas pessoas podem estar?** Liste precisamente cursos, escolas, eventos, locais de trabalho, projetos etc.

2º Passo Tente agrupar os traços comuns dessas pessoas. Tipo:

De que idades são? De que nacionalidade? Que ocupações têm? De que cultura vêm? (São de sua cidade, por exemplo, ou de outra? Outro país, talvez?) etc.

Tente ampliar essa pesquisa com outras perguntas.

3º Passo Se você já descobriu onde está(ão) sua(s) turma(s), ótimo.

O que você pode fazer para fortalecer e talvez até aumentar essa rede?

Se não descobriu ainda, sem problemas. Sugiro que você tente descobrir onde está essa galera, ou galeras. Cursos e workshops são um bom lugar para começar, mas pode ser que esteja(m) entre seus melhores amigos. Isso é igualmente importante, porque você se dá conta da **sensação** que é estar entre pares. Esta é uma guia interna importantíssima para encontrar novas turmas. Sentir-se bem é critério fundamental, portanto.

Ter uma rede forte é muito importante para seguir pela vida com a segurança de que não há nada de errado conosco. Vá em frente e procure sua turma!

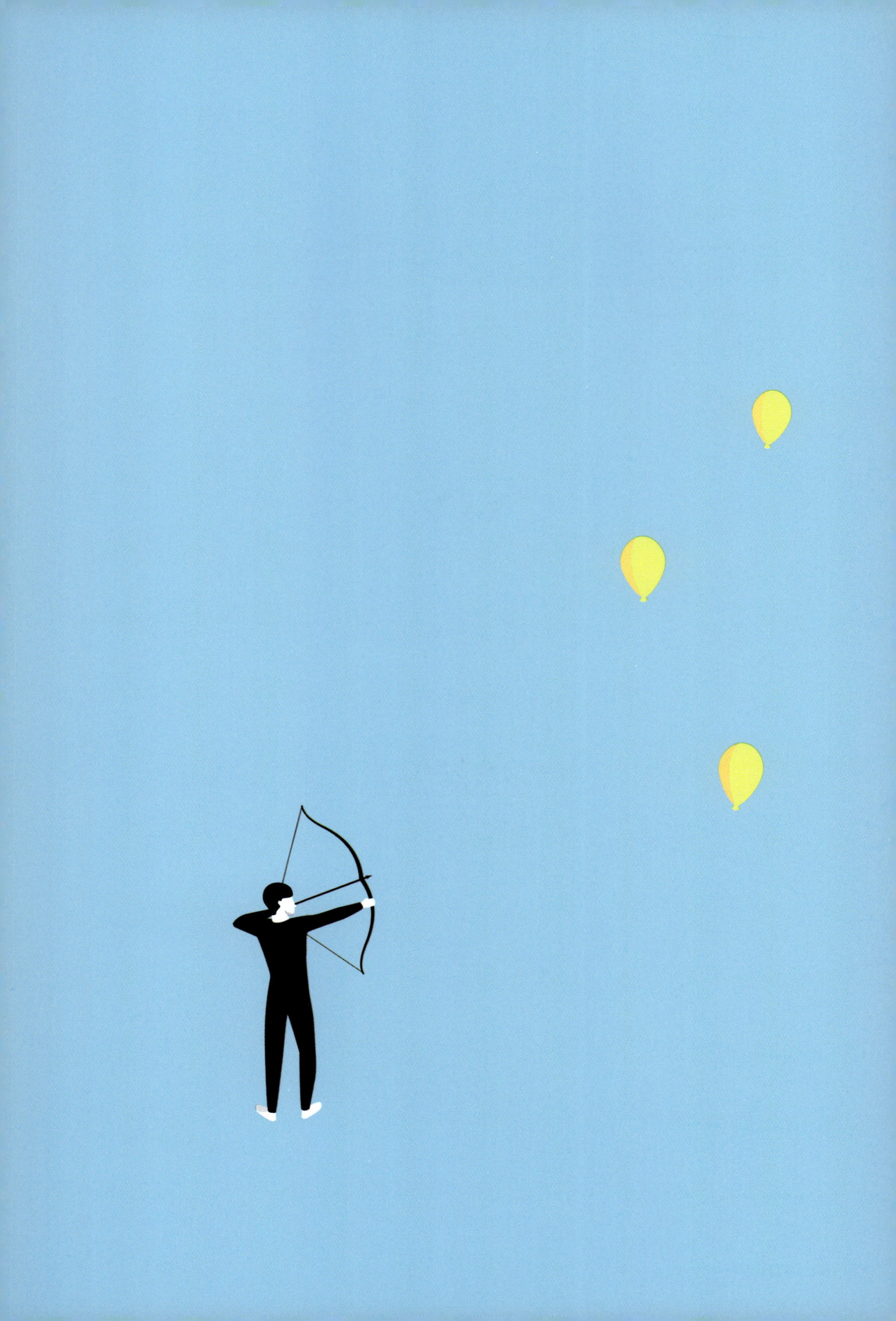

10

Seus objetivos (con)têm alma?

▬ Você sabe que precisa ter metas. Estabelece-as a cada ano, talvez. Então, por força do que rola na sua *timeline* ou porque lê sites de *coaching*, ou, sei lá, porque o mundo parece gritar isso na nossa cara, você é constantemente relembrado de seus objetivos. Mas eles se esvaem depois de um mês do Réveillon. E então você talvez procrastine ou, pior, fique se autochicoteando mentalmente por não ter atingido aquilo a que se propôs. E por que será, não é? Você fica tão feliz quando atinge seus objetivos… o resultado é sempre bom.

Objetivos e metas são realmente importantes. Eles ajudam a te dar clareza, a traçar um plano para realizar um sonho, a ter direção e saber para onde ir – o que pode ser bem confortante. Mas então por que é que você nem sempre consegue cumprir o que se propôs no dia 1º de janeiro? Por que o planejamento que você gastou tanto tempo fazendo se esvaiu feito fumaça no bimestre seguinte?

Uma das razões pelas quais não cumprimos com o que nos comprometemos em termos de objetivos é porque as coisas acontecem à nossa revelia. São os tais "fatores externos" que, por serem alheios a nós, nos escapam do controle ou da possibilidade de manipulação. Breve conselho: desapegue. Não há nada que possa ser feito com relação a isso. Sério.

Agora, o negócio pega mesmo quando a gente não consegue ir atrás do que se propôs para nós. Por que isso acontece? Em geral, porque a gente coloca o carro na frente dos bois, ou seja, a gente traça metas aspiracionais, na esperança de que, se as cumprirmos, elas nos farão **sentir** de determinada maneira.

Exemplos?

Objetivo aspiracional: Ter uma casa nova ⟶ Pode significar: eu quero me **sentir** segura.

Objetivo aspiracional: Obter aquela promoção ⟶ Pode significar: eu quero me **sentir** reconhecido.

Objetivo aspiracional: Ganhar 500 mil até o fim do ano ⟶ Pode significar: eu quero me **sentir** independente do meu marido.

Ou seja, o foco está no lugar errado! Nós temos que entender o que clama nossa alma, nossa essência – e o caminho para ela está em como queremos nos SENTIR. Objetivos e metas são o meio para concretizar como queremos nos sentir. Não são o ponto final. Repito: objetivos e metas são o meio e não o ponto final.

Solução:

Coloque os bois na frente do carro: mapeie como você quer se sentir. Não daqui a 5 anos. Hoje. Daqui em diante. E daí faça um planejamento de intenções para dar conta disso.

Exercício 10

Vou compartilhar algo muito precioso aqui, que é um passo a passo que uso com meus clientes. Use à vontade, agora é seu:

1º Passo Faça um levantamento de como quer se sentir. A lista pode ser infinita e, nesse momento, quanto mais, melhor. Ela vai se parecer com algo desse tipo:

Eu quero me sentir...
validado
reconhecido
amado
magro
forte
um sucesso
saudável
completo
em harmonia
próspero
feliz!

2º Passo Agora, dê zoom em cada uma das palavras que você escolheu, com a ideia de entender o que elas

> querem **mesmo** dizer para **você**. Quanto mais específicas, maiores as chances de você realmente entrar em contato com o que clama sua alma. Então, pergunte a cada uma das palavras que você escolheu: o que você quer dizer? Um exemplo. Todo mundo diz que quer se sentir uma pessoa de "sucesso". Mas o que é "sucesso" para você? Defina, vá atrás e seja o mais honesto possível. O seu conceito de "sucesso" é só seu.
>
> **3º Passo** Hora de escolher 4 ou 5 palavras. São aquelas que mais fazem você se sentir conectado com sua essência – aquelas que refletem sua verdade. Como eu quero **mesmo** me sentir? Faça o exercício da renúncia, usando seu coração como guia para deixar de lado aquilo que não lhe pertence.
>
> **4º Passo** Finalmente, trace um plano de intenções baseado no que você quer sentir. Sim, intenções: são objetivos que vêm de dentro. Tenho a impressão de que será mais fácil de cumprir...

Uau... poderoso isso tudo, né? Me deu suadeira na caneta só de escrever. Mas esse é o meu papel: ajudar a ser quem você é, a expressar sua essência, a sua alma. Nem que eu tenha que suar. Não importa. Importa você.

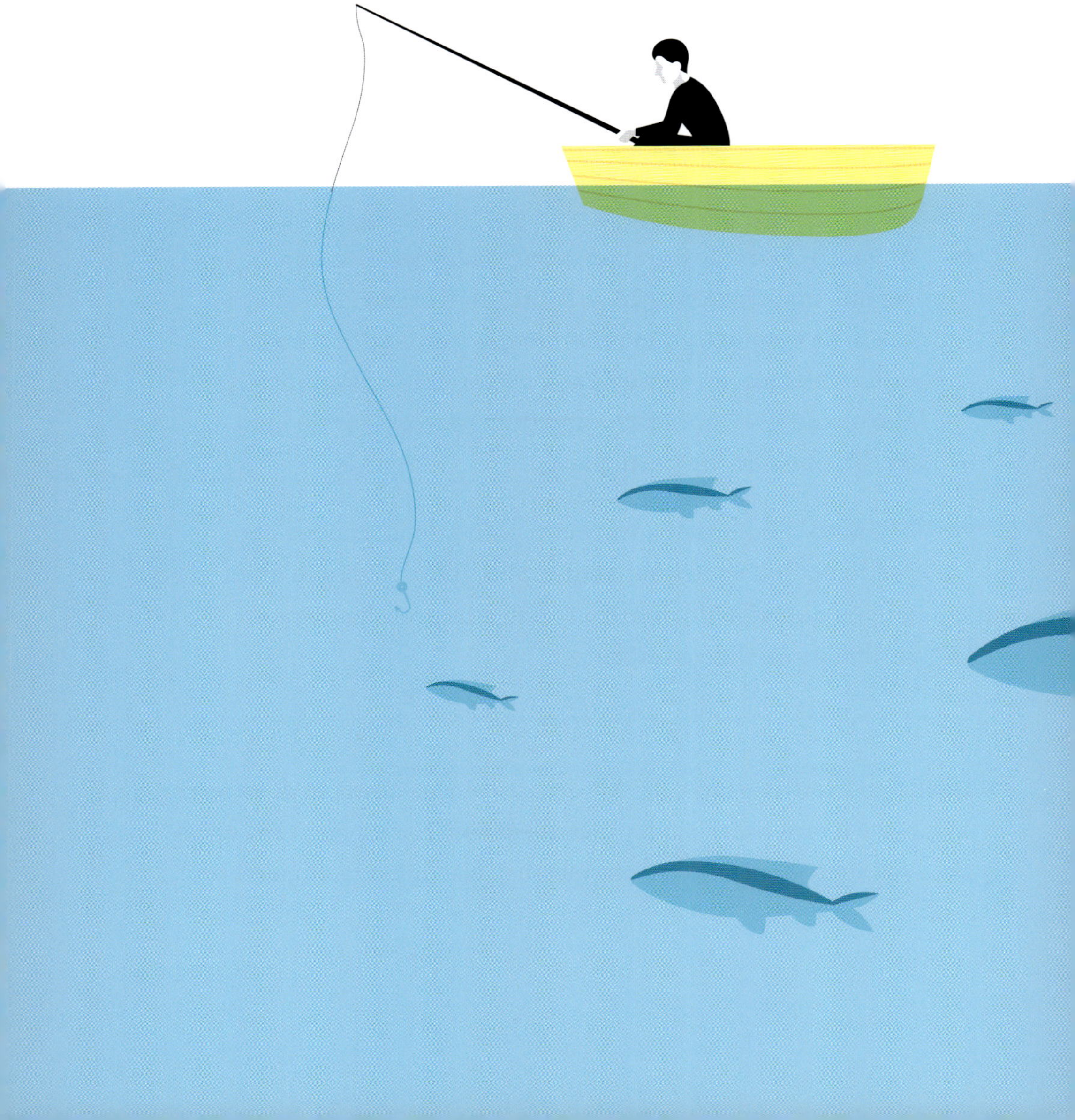

11

Por que se preparar tanto para o futuro se você nem sabe como ele vai ser?

Uma das coisas mais certas da nossa contemporaneidade é que tudo é incerto. A economia já não se comporta mais como esperávamos, os países antes tidos como seguros e desenvolvidos estão quebrados, as empresas ficam tentando se agarrar a velhos modelos de gestão que não funcionam mais e investindo fortunas em "retenção de talentos" (aliás, reter não é o mesmo que prender? Quem quer ser preso, mesmo que numa gaiola de ouro?). As escolas estão sendo questionadas pelos jovens, os relacionamentos mudaram e a tecnologia veio mostrar, a galope, que o que pensávamos estar apenas nos filmes já faz parte da nossa realidade.

Ou seja, que futuro nos espera? Como ter certeza de que o que fazemos hoje, com vistas a esse tal futuro, de fato vai servir para alguma coisa? É o que questionam vários de nossos atuais e passados pensadores, gurus e mestres. "Não há futuro", diz Humberto Maturana. "Não há passado, só há o tempo Zero, e nele podemos criar tudo que quisermos", afirma ele, com a calma de quem vive o tempo presente.

Sir Ken Robinson, em sua mais famosa – e divertidíssima – palestra no TED, que já teve quase 32 milhões de *views*, afirma que não temos como prever sequer o que vai

11. Por que se preparar tanto para o futuro se você nem sabe como ele vai ser?

acontecer em 5 anos, quem dirá como será o mundo mais adiante? O futuro é um vago mistério imaginativo.

> Então por que passamos tanto do nosso tempo pré-ocupando a mente nos planejando para algo que não existe ainda – e que não sabemos sequer se vai servir? Eu tenho uma ideia: é para não estarmos presentes no agora.

Nós fugimos do agora, pois o agora é o único momento em que nada se opõe a nós mesmos. Sobre o agora, temos plena responsabilidade, plenas condições. E isso é muito amedrontador. Mais fácil ficar pensando no futuro ou revisitando o passado, não é?

Acontece que é **só** no momento presente que podemos criar algo. É no cotidiano que de fato a coisa acontece. É aí, agora, lendo esse texto, que seus pés encostam ao chão. E é agora, nesse segundo, que você pode decidir andar para onde quiser. Não é ontem. Não é no futuro. É agora.

Claro, você precisa pensar em como fazer as coisas daqui para diante, afinal a vida pede. Mas uma coisa é você viver o hoje com a cabeça no amanhã. E outra, é viver o hoje, dando-se conta de todas as possibilidades de criar sua própria realidade e inventar novas possibilidades para você mesmo. Repito: não é ontem, não é amanhã. É agora. E você só tem o agora – ele vai ajudar você a criar o futuro, que nada mais será do que uma extensão do que você faz hoje.

Imagine você vivendo a vida que pensa lá para frente... só que hoje?

Exercício 11

- Quando é mesmo que você vai passar a viver a vida que você quer?
- O que ainda falta?

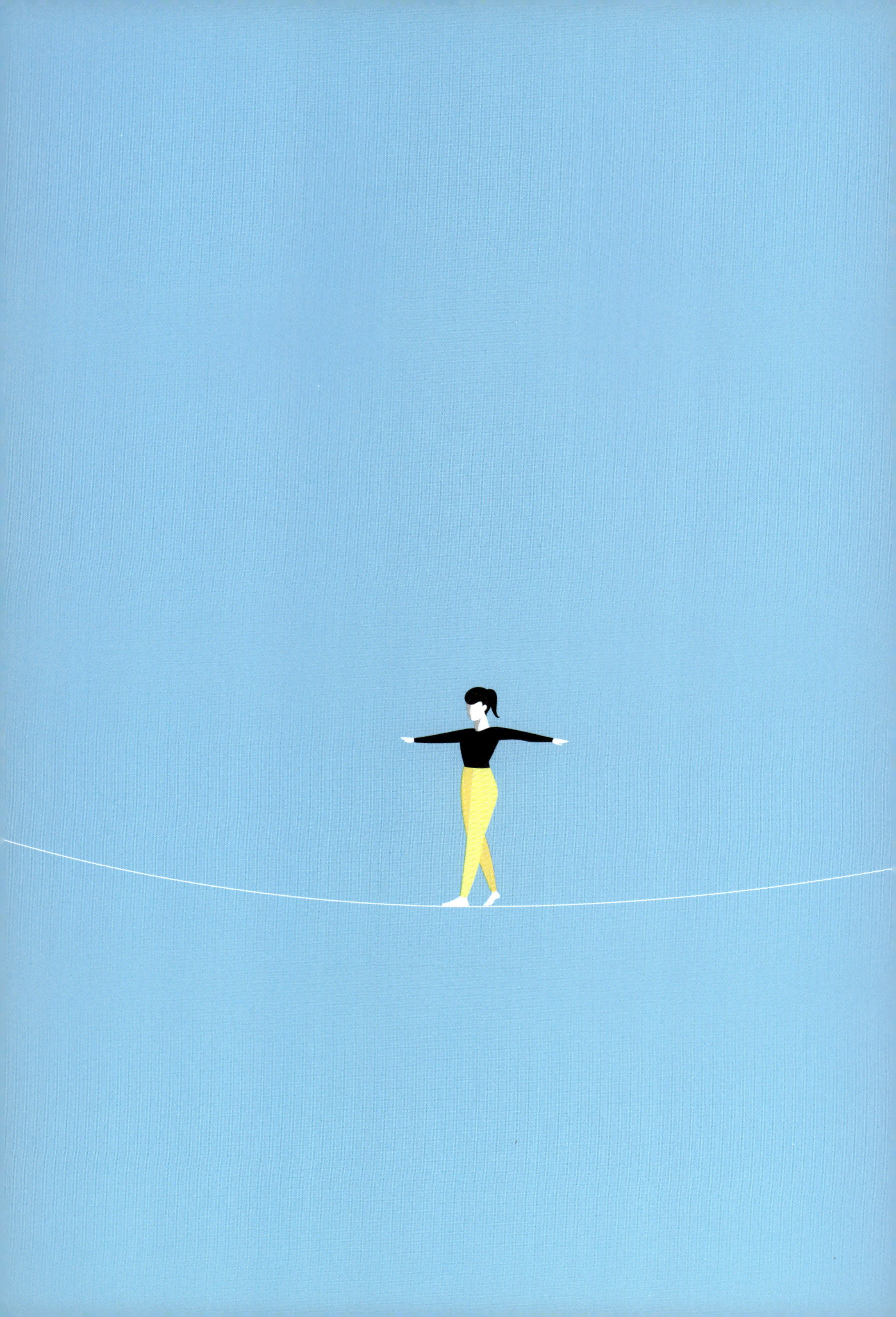

12

Como sair do limbo em quatro passos

Já aconteceu com você? A gente não está lá nem cá em alguma coisa na nossa vida. É um apartamento provisório ou de aluguel que você não quer decorar porque não sabe quanto tempo vai ficar lá, ou um trabalho que não alegra seu dia, mas que você não tem como sair por falta de dinheiro ou mesmo de opção. Às vezes até uma roupa nova que você não compra porque "ainda vai emagrecer" para caber nela – mas nem pensou em fazer dieta ainda.

Soa familiar? Pois é, e isso é mais comum do que parece. Na verdade, a maioria dos clientes de *coaching* que atendo trazem essa queixa: não estou bem onde estou, mas não sei o que fazer para chegar "lá". Esse tal "lá" é um lugar paradisíaco imaginário em que, em tese, todos os problemas estarão resolvidos. "Lá" supostamente seremos felizes, realizados, teremos dinheiro, amor e abundância.

Mas "lá" é um ponto no tempo ou no espaço que ainda não está. Ele só está na cabeça, como uma possibilidade ainda não realizada. E o que é real? É o seu hoje, o momento presente – e é justamente onde se localiza o limbo.

12. Como sair do limbo em quatro passos

O que fazer então para sair dele, na direção de "lá"? Se jogue no limbo. Sério: entre nele de cabeça e esteja nele como se fosse o único lugar possível de estar. E mais, como se fosse o **melhor** viver possível. Como se já fosse "lá".

Assim, se você está provisoriamente em um apartamento, cuide para deixá-lo de tal forma que você se sinta em casa. Não precisa necessariamente gastar para isso, mas dê seus toques como se essa já fosse a melhor moradia que você pudesse ter.

Se seu trabalho já deu e você ainda não tem outro, procure ver de que forma você pode abraçá-lo e cuidar dele como se fosse o melhor trampo que há. Como dar o seu melhor nesse ambiente? Como encontrar oportunidades de melhorar ainda mais o que faz?

Eu mesma comecei minha prática de *coaching* porque era a única coisa que eu me via capaz de fazer. Tinha feito uma formação incrível em 2004, mas usava os conhecimentos para gerenciar minha equipe, quando era diretora de uma empresa grande. Quando saí do universo corporativo, fiquei momentaneamente cega, sem opções, pra baixo. Achava que alguém fosse vir me salvar e me dizer o que eu tinha que fazer da vida – e então entrei no limbo. Não conseguia ir pra frente porque não sabia pra onde ir, e nem ir pra trás, porque já não queria voltar para a vida empresarial. Se você está nessa também, saiba que entendo e sei o quanto isso parece o fim do mundo, um beco sem saída. Mas não é, tá? A saída está em você, por mais clichê que isso possa parecer.

Depois de um tempo nesse limbo aí, na procrastinação e na tentativa de me encontrar, uma hora precisei ter a coragem de me perguntar: o que eu já sei fazer? Eu já fazia *coaching* com minhas equipes e isso funcionava muito bem. Por que não fazer disso uma profissão? Então me dei o direito de tentar, ao menos. Com a cara e a coragem, anunciei no meu Facebook que iria fazer *coaching* por um preço simbólico para quem precisasse. Comecei a atender. E, na prática, passei a me dar conta de que eu realmente sei fazer esse tal de *coaching* direitinho. E mais – que adoro esse ofício! Sem perceber, já estou vivendo "lá". Estou feliz, satisfeita, recompensada. Ajudo as pessoas a partir do meu melhor e entrego o meu amor por elas por meio do que eu faço.

Mas isso só aconteceu porque me joguei no limbo. Reconheci que ele existe. Aceitei-o, agradeci por ele existir. E entrei de cabeça para perceber que havia muita coisa nele.

Acolha seu limbo e dê o melhor de você estando nele de verdade, para expandi-lo a partir do que ele já é – e de quem você é e está neste momento.

Vamos a uma atividade bem simples (ok, ok, você já sabe que quando eu digo simples não quer dizer fácil… ☺) para ajudar a identificar seu limbo e o que fazer para sair dele.

Exercício 12

- **1º Passo** Faça uma lista das coisas em sua vida que estão no limbo.

- **2º Passo** Encontre maneiras de reconhecê-las e apreciá-las pelo que elas são. Agradeça. Veja as coisas boas que aí estão (evite cair na tentação de falar: ah, isso que eu faço/sou/tenho é legalzinho, mas poderia ser sensacional. Isso não é apreciar, é colocar expectativa no que poderia ser).

- **3º Passo** Para cada situação de limbo, faça uma lista do que você pode fazer para melhorá-la, encontrando oportunidades para dar o seu melhor – apesar de parecer que isso não é possível.

- **4º Passo** Implemente o que for possível agora!

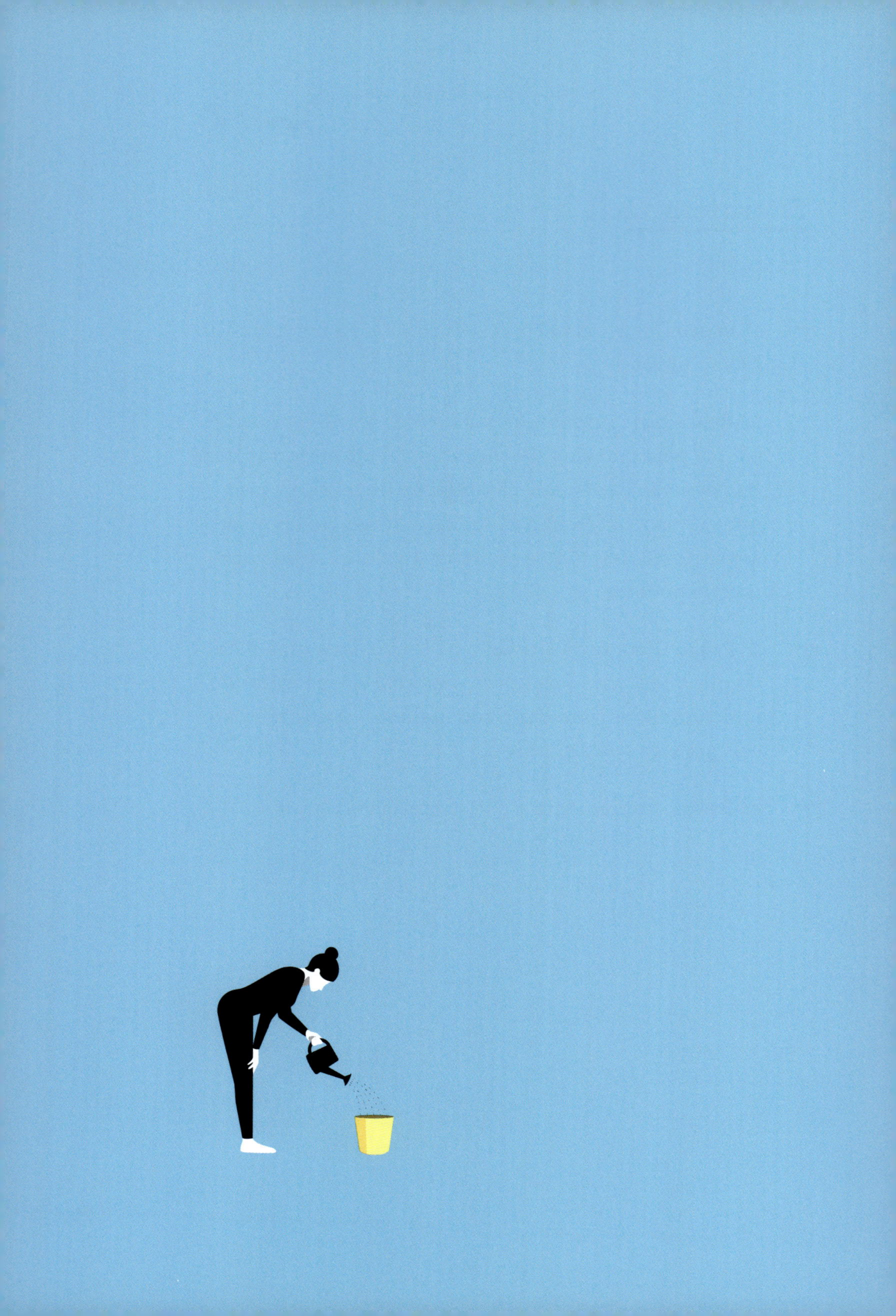

13

Ações

+

tempo

=

a fórmula

mágica

para

colher

a vida

que

você

quer

Ok, o título é clichê, mas deu pra entender que o tema tem destino certo: criar consciência sobre o que você anda fazendo, como anda fazendo e quanto tempo anda investindo nas situações que compõem o seu dia a dia – e como isso cria e conserva sua vida.

Para começar, você – assim como eu – deve estar cansada/o de ouvir que o que importa mesmo é fazer, realizar, materializar. Seja para tirar sonhos da cabeça, para botar no concreto o que sua imaginação cria, para ser um empreendedor... mas é sempre muito mais difícil essa parte de ir para ação, pelo menos no que observo entre meus clientes de Coaching com Alma. Até poderíamos tentar entender os porquês (mercado ruim, contas a pagar, sonhos aparentemente impossíveis...), mas vamos experimentar ver outro aspecto das ações na concretização do que você quer.

Imagine a tal da sementinha e que você é o "plantador": você escolhe o terreno, semeia, daí tem que cuidar, adubar, regar, evitar pragas, ficar de olho no clima etc. Vamos então aos exercícios:

Exercício 13

Começamos por analisar essa cena:

Quanto tempo você passa realizando esse processo todo, desde a escolha até a colheita? Quanto de suas capacidades vão sendo desenvolvidas nesse processo? O que você aprende com ele? Em que medida o processo mantém a situação?

Se fizermos uma analogia, talvez você queira dizer que a semente é algo que você plantou, que o terreno são suas histórias, sua fisiologia, suas crenças e tudo aquilo que compõe você hoje – mas o foco pra mim está em dois pontos: em quanto tempo você gasta em ações para que essa semente cresça.

Então, vamos transpor o exemplo e ver o que acontece com o fato de você investir, por exemplo, 8 horas diárias (ou 40 por semana, 160 por mês... opa, são quantas no ano? Quantas em 10 anos?!) num trabalho que você não curte: você vai gastar seu tempo trabalhando, se aperfeiçoando para continuar fazendo algo que não faz sentido, cultivando relações com pessoas que mantêm você lá, almoçando com quem está nessa rede, desperdiçando energia etc. etc. etc. O que você colhe com essas atitudes que vêm tomando ao longo desse tempo todo? Um dia a dia que conserva a situação como ela é, sem sentido e que provoca mal-estar. Você colhe o que plantou.

Imagine então o que pode acontecer se você investir conscientemente 8 horas do seu dia (ou 4, ou 2, ou 1 hora que seja) em pequenas ações, uma atrás da outra, sistematicamente.

Será que você teria mais chance de plantar sua semente boa? Será que seria mais fácil cuidar dela aos poucos, criar o que quer, realizar sonhos, tirar um negócio do papel? Será que teria mais possibilidade de colher, portanto, o viver que lhe é aprazível e traz bem-estar?

O tempo é o mesmo, portanto: o uso consciente do que você faz nele/dele/com ele é escolha sua.

Exercício opcional: Acho que vale a pena você se perguntar:

O que tenho feito com meu tempo? Estou consciente do uso dele? O que tenho colhido como consequência

das ações que venho plantando? Que ações realizo para concretizar aquilo que quero criar, transformar ou mesmo manter? O que preciso fazer e de quanto tempo disponho para tal?

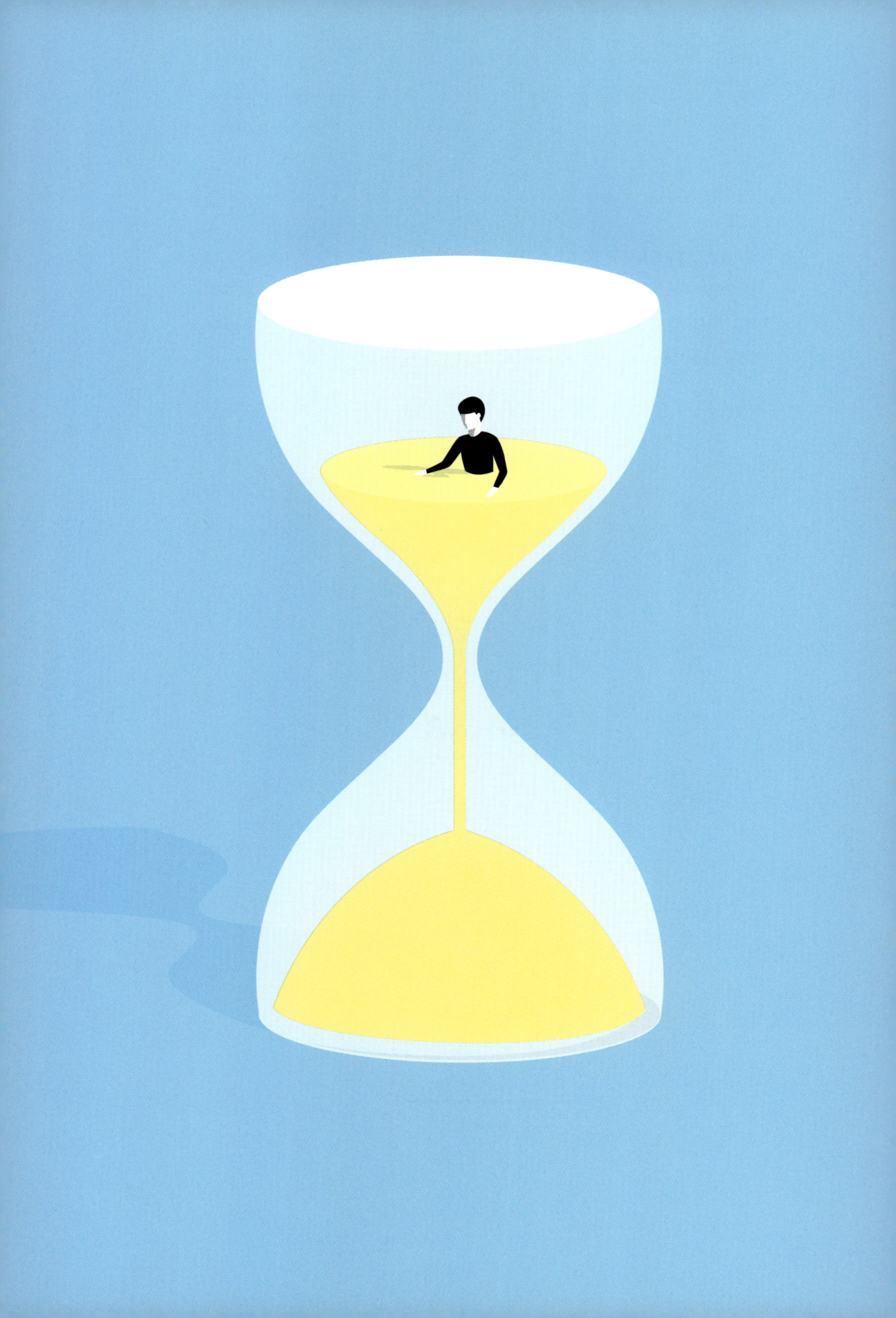

14

Como usar bem o tempo que você tem — e parar de se sabotar

É assim: a gente se sente desorganizado, sem foco e sem saber o que fazer primeiro. Não é? Daí é um pulo para acreditarmos que **somos** desorganizados, sem foco e não sabemos priorizar as coisas – e caímos na armadilha de viver de qualquer jeito, como se fôssemos uma macarronada em que não sabemos por qual espaguete começar (tá vendo que filosofia profunda? ☺).

Então, se você é como a maioria das pessoas com quem tenho conversado, você tem dito que tem feito muita coisa ao mesmo tempo. Eu concordo e sinto o mesmo: são os tempos contemporâneos que nos fazem acreditar que TEMOS que ser tudo ao mesmo tempo, TER tudo ao mesmo tempo, CONTROLAR tudo e sermos felizes (e publicar no Face ainda por cima). Portanto, esse já é o primeiro passo: desista de querer fazer tudo. Não dá.

Está cheio de pesquisas por aí que mostram que as coisas não funcionam tão bem no nosso cérebro quando nos propomos a dar conta de tudo ao mesmo tempo. No fim – e você nem precisa de pesquisa para saber disso – você faz tudo mal feito quando se propõe a olhar seus filhos e trabalhar no computador, postar no Instagram e almoçar com alguém, tomar banho e falar no celular (oi?). Não é novidade para ninguém. Então como saber o que fazer?

Vou propor um jeito, que é o que funciona pra mim e que eu normalmente uso para ajudar meus clientes. O mais bacana é que quando fazemos essa atividade eles me reportam um imediato alívio por terem finalmente encontrado um jeito de fazer o que querem de suas vidas e colocar foco no que de fato interessa – o que me leva ao ponto principal desse texto:

Muitas vezes esse excesso de afazeres é só uma desculpa para não fazermos o que temos de fazer e não assumirmos a responsabilidade por construir (nós mesmos) a vida que queremos. É um movimento sabotador, no fundo. Criar o viver que você quer está em suas mãos, óbvio, e você já sabe disso. Mas tomar efetivamente as rédeas e botar pra funcionar seus planos exige sua real **presença**. Exige sua entrega, exige coragem – e tudo isso dá muito trabalho. Que pode exigir remexer em coisas que não se tem condições agora, ou escolher e fazer renúncias, ou se posicionar... enfim. Muitas as desculpas para não sermos a nossa melhor versão. Só quero que você reflita e veja se não é isso que está rolando com você: um apego à desculpa do excesso de coisas para fazer, ou da falta de tempo, para não seguir adiante na construção de um viver mais potente.

Se for isso, dou a você um alento: você não está só. Creio que nossa sociedade ocidental está viajando total na maionese, imersa numa distração sem fim, medicada até as tampas – e muito infeliz. Não é à toa que tudo parece imenso demais para darmos conta. Mas dá. Dá para você quebrar esse ciclo e ir adiante, para construir uma forma distinta e muito sua de estar nesse mundão. Vamos começar agora, por seu calendário.

Exercício 14

Pegue o seu calendário de uso atual – ou escolha um para começar a usar. Pode ser qualquer um deles – se você usa o *Gmail*, tem disponível a *Google Agenda*. Pode ser o *iCal*, pode ser uma agenda de papel, o que for. Comece a listar as coisas que precisam ser organizadas de fato hoje (é nessa hora que a gente começa a ver que tem coisas que não são prioritárias ou necessárias – oba!). Essa ordem abaixo pode ajudar:

1º Passo Compromissos fixos que **já acontecem** e precisam continuar acontecendo nos horários atuais. Exemplos:

> Levar crianças para escola ou outra atividade.
> Ginástica.
> Me arrumar para sair.
> Andar com o cachorro.
> Escrever.
> Fazer almoço/jantar.
> Yoga.
> Meditação.
> Ajudar na lição de casa.
> Estudar.

Terapia.
Ir à sessão de *coaching* ☺
etc.

2º Passo Coisas que **já acontecem e que ainda não têm horário definido** na sua agenda. Exemplos:

Passar tempo com seu companheiro(a).
Brincar com os filhos.
Andar com o cachorro.
Lavar o carro.
Ler.
Estudar.
Ler e responder e-mails.
Checar redes sociais (Juro! Não me olha com essa cara... você pode sim botar essas coisas em seus devidos lugares).

Atenção: se você é autônomo ou *freelancer*, pode se organizar colocando na agenda seus horários de trabalho, separados por cliente/projeto. Tente determinar na agenda um horário fixo para se dedicar a cada um deles individualmente, como se fossem horários de reunião em sua agenda, com o tempo necessário para terminar o que tem que ser feito.

3º Passo Coisas que **ainda não acontecem e você quer que aconteçam**. Exemplos:

Fazer o lanche da tarde.
Meditação.
Ginástica.
Ler.
Escrever.
Estar (na presença real) com filhos, com pais, com amigos, com marido/esposa/namorado/familiares.
Prospectar clientes.
Escrever os posts para sua página profissional.
Procurar um apê novo.

4º Passo Agora pegue cada um dos itens do 1º Passo e coloque de maneira bem realista, em seu calendário. Veja quais os melhores horários para você ou horários possíveis, preste atenção para fazer de forma a casar com o seu relógio biológico (eu trabalho melhor à tarde e escrevo de noite. Então levo isso em consideração para atribuir meus horários).

Quando acabar, coloque os itens que você listou no 2º Passo até acabar. Daí passe para o 3º Passo.

14. Como usar bem o tempo que você tem – e parar de se sabotar

Beleza? Bom, agora algumas dicas para que você seja mais efetivo:

1) Todo dia de manhã, antes de começar o dia, dê uma olhada no que você tem pra fazer e se comprometa a fazer tudo. Tipo metas do dia.

2) Comece e termine cada coisa que você se comprometeu a fazer de uma vez só. Tente não começar outra coisa, ou "só dar uma olhadinha no Facebook" no meio de algo.

3) Se ajudar, use o cronômetro de seu celular para se concentrar pelo tempo que se propôs. É bem útil e pode ajudar você a ter uns *insights*. Foi assim que descobri, por exemplo, que minha capacidade de manter a atenção na leitura é de meros 11 minutos.

Por fim, vale lembrar: retomar o controle do tempo e conseguir se organizar pode ser difícil. Nem sempre se consegue fazer tudo a que se propôs, ou nem sempre o que se planejou dá certo. Normal. Continue tentando. Aos poucos vá implementando o que é possível para você, e faça os ajustes necessários. Se não tentar é que não vai mudar nada mesmo – mas essa é uma oportunidade linda de auto(re)conhecimento, de você tomar as rédeas de seu tempo e de sua vida. E fazer deles o que bem entender!

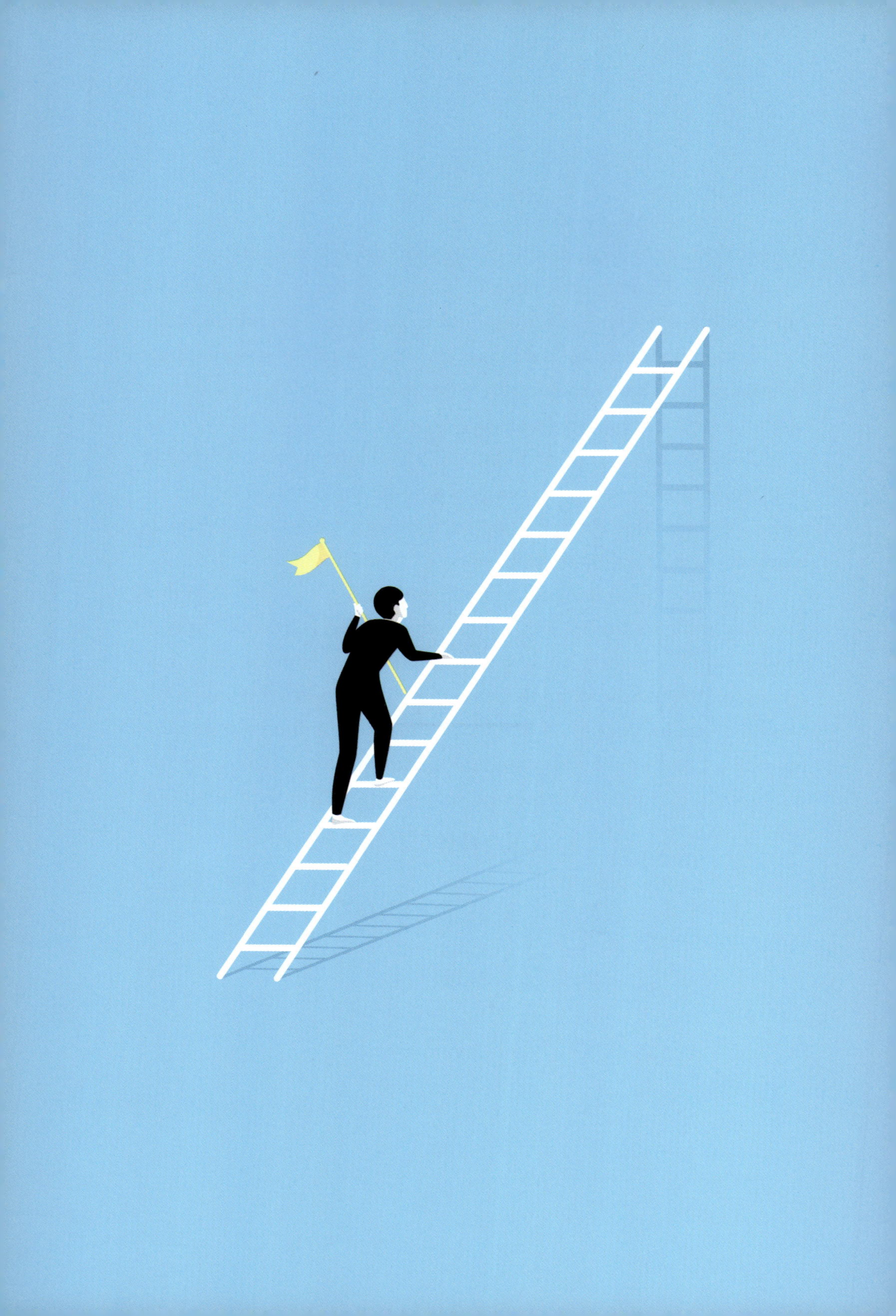

15

Três passos para parar de se distrair

— e começar a concretizar o que quer

── Eu estava no final de mais um artigo. Ele já tinha me custado um bom tempo de dedicação, era um dos mais inspirados que eu já tinha feito. Daí, do nada, ele sumiu do meu computador. Juro. Foi-se, escafedeu-se, desapareceu. Chamei todos os santos protetores da tecnologia, mas nada. O que eu fiz? Fui para o Facebook contar o ocorrido e tentar obter ajuda de alguém. E daí para checar a *timeline* foi um pulo. Resultado? 56 minutos de pura distração. Não fiz nada, a não ser dar curtir aqui, compartilhar ali. Meu texto… ora. Não voltou.

Quantas vezes já fiz isso, nem sei. Mas me dei conta de que já passei tempo demais me distraindo e, com isso, deixando de realizar o que de fato importa.

No final desse dia, eu perdi o texto, mas tomei uma decisão: modular e organizar meu tempo de distração.

15. Três passos para parar de se distrair – e começar a concretizar o que você quer

Modular porque, óbvio, ninguém deixa hoje em dia de checar e-mails, ver séries de TV e navegar nas redes sociais. Mas organizar significa dar um horário para isso e escolher o que de fato vale a pena. No meu caso, que tenho página profissional no Facebook, site etc., entro ao menos uma vez ao dia e não mais do que duas. Também decidi parar de seguir pessoas que postam coisas inúteis ou que me incitam à discussão desnecessária. Escolhi também apenas um ou outro jornal e revista para ler. O resto, deletei.

> Em tempos de excesso de informação, escolher o que deixamos entrar no nosso corpo, mente e espírito é fundamental.

> Temos que saber fazer uma curadoria muito esperta e, com isso, retomar as rédeas da vida – porque, distraídos, perdemos o contato conosco mesmos.

> Estar distraído é estar desconectado, portanto. Desconectado das pessoas, de quem você quer conversar, de seus sonhos e de seus planos.

Então, vamos lá. Uma atividade bem simples para ajudar você a sair dessa:

Exercício 15

- Responda sinceramente: quanto tempo de seu dia você fica nas redes sociais, lendo e-mails ou vendo TV?

- Que atividades são realmente essenciais? Encontre um momento em seu dia, ou dois, que seja, para acessá-los. Coloque na agenda o que decidiu. Ex: Ver Face só de manhã e à noite. Ok, mas qual o horário para isso? Idem para ler e-mails, ver jornal ou TV. Lembre-se: se não está na agenda, não é real. Bote na agenda.

- Com o que você poderia usar o tempo que gastava se distraindo para realizar seus planos, projetos, tarefas etc.? Cite três exemplos.

- Agora, bote tudo isso em prática. Você vai ver que o tempo que precisava para fazer um curso, ler aquele livro, meditar, fazer ginástica, pesquisar sobre um novo empreendimento vai aparecer. E você vai andar com sua vida para onde você quer que ela vá.

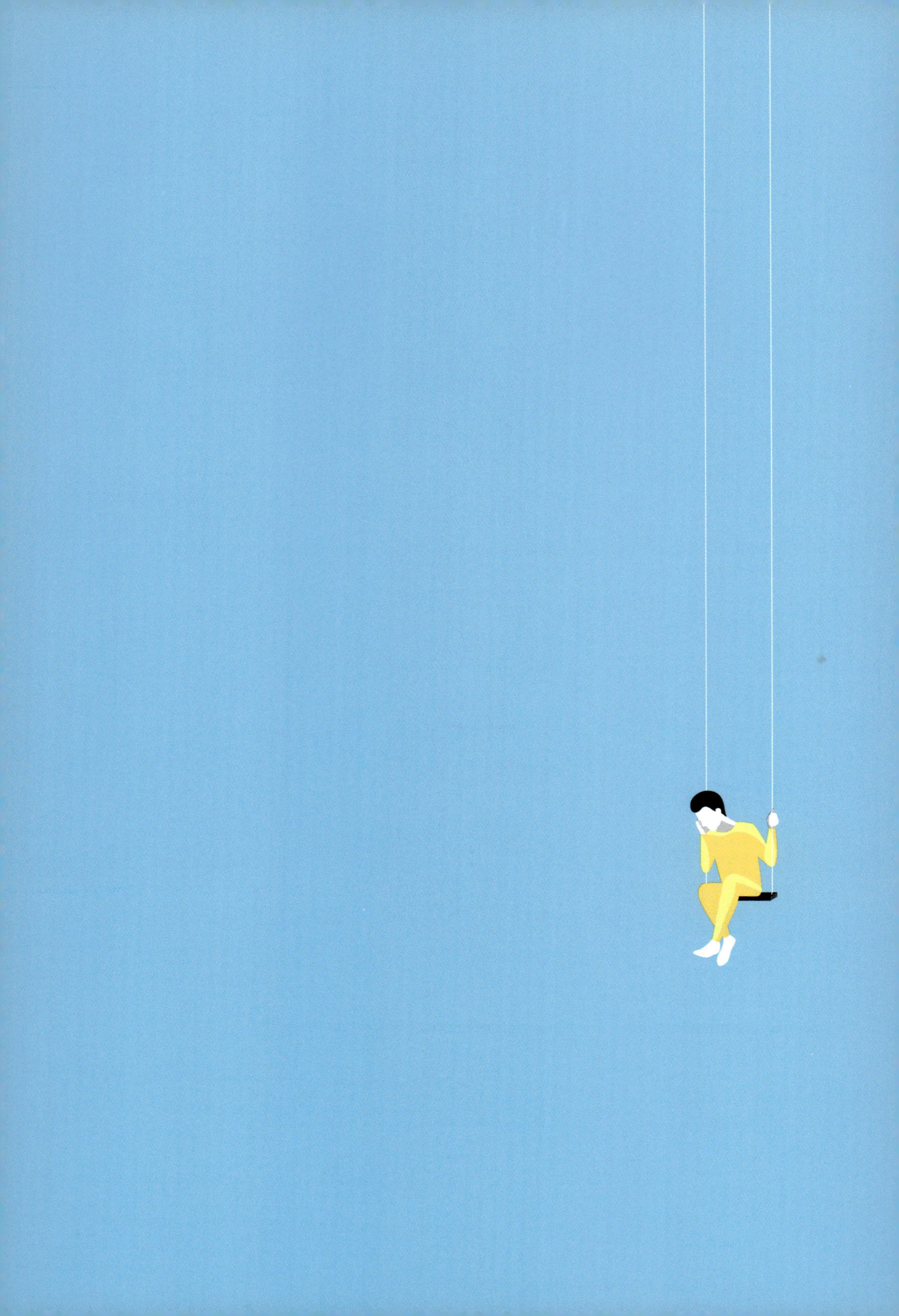

16

Paralisou?
Pode
ser
excesso
de...
excessos!

Tenho uma amiga que me conhece muito bem e de vez em quando me pergunta: "Será que um dia você vai conseguir parar de pensar tanto?" Confesso que o combustível intelectual é sedutor para mim. Estar entre pessoas que admiro e que sabem muito de várias coisas, frequentar a pós--graduação (contei sobre isso?), pesquisar, fazer mil aperfeiçoamentos e cursos, tudo isso me faz sentir em constante estado de aprendizado. Mas quer saber? Isso também cansa e – confunde.

Percebo que o caldo entorna quando me vejo no meio da exasperação, num excesso de análises de possibilidades. É como se eu estivesse de frente para várias portas, sem saber bem para onde ir. Qual delas abrir? "Ahn... não sei. Acho que vou fazer mais um curso para saber, ou esperar tal coisa acontecer. Ou vou ler mais um pouco, ou conversar com fulano, ou vou atrás de uma consultoria, terapia...".

Pois é, aqui que é o ponto. Este transbordamento é paralisante. Não dá para saber o que fazer primeiro, nem que passo tomar depois, né? Então para tudo mesmo, porque o recado é outro: esse turbilhão de conhecimentos, de informações, de análises pode ter na verdade uma segunda (e talvez ingrata) função, que é a de criar barulho interno suficiente para não escutarmos o que de fato importa para nós.

E como sair dessa? Parece-me que há alguns caminhos possíveis, mas compartilho uma trilha que venho usando com meus clientes de *coaching* individual:

Exercício 16

- Comece com uma consulta interna, uma reflexão sobre o que se quer conservar. Tudo se transforma em torno do que se quer conservar, diz o querido mestre Humberto Maturana. Em outras palavras: **o que você quer de verdade?**

- Compreenda que o tempo das respostas não é necessariamente o tempo cronológico. Há o chamado tempo Kairós, o tempo da criação divina, da natureza, do nosso rio particular. Ele tem seu ritmo. Ele não é tão intenso quanto o tempo do relógio preconiza. Mas ele traz as respostas – em seu tempo. **Qual o seu tempo?**

> Acione sua escuta. Afine seus ouvidos, deixe-os flexíveis para se escutar, para ouvir os rumores que vêm de sua própria alma. Ela fala nas entrelinhas, nas pequenas coisas que nos deixamos sentir como verdadeiras e vibrantes. Ela se comunica nas pequenas coisas que amamos fazer. **Quais são elas? Você as vêm escutando? O que escuta?**

Com isso, a noção do tempo kairós, a possibilidade de ampliar sua escuta e de encarar suas reais motivações, talvez dê para você fazer escolhas mais autênticas – que para mim são que vêm da sua essência. E ela geralmente não tem dúvidas.

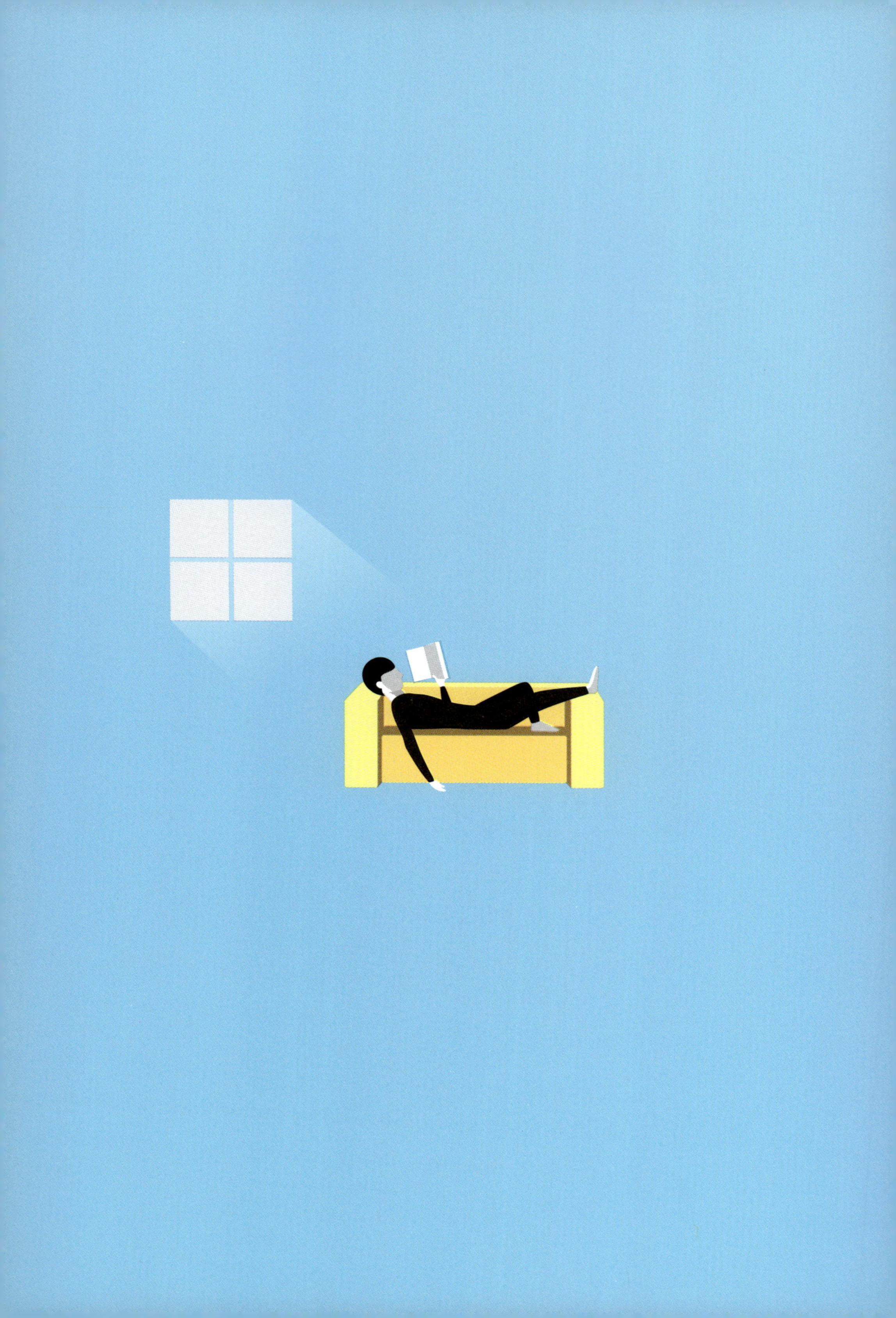

17

Procrastinando? Então continue

É aquela coisa que você já sabe que precisa fazer e não faz. É uma decisão que não toma, um trabalho que não termina, um projeto que não entrega, uma conversa que não rola nunca porque você não toma a iniciativa.

Aí você procura ajuda, porque sabe que tem alguma coisa errada com isso. Sabe que não é o seu normal, mesmo que nem consiga ver isso com clareza. Você provavelmente dá um *Google*, pega um livro, conversa com alguém ou mesmo tira um tarô para ver o que dizem as cartas e invariavelmente você recebe o mesmo veredicto: "pare de procrastinar para ter sucesso, para conseguir o que quer. Assuma as rédeas de sua vida, você tem condições, basta querer".

E é aí justamente que podemos perder uma chance de ouro: a de nos conhecermos melhor e efetivamente dar o salto [quântico] rumo a nós mesmos. Explico: quando vejo, na prática do *coaching*, que as pessoas estão procrastinando, eu não falo para elas "superarem" esse problema. Ao contrário, sugiro que a gente acolha, pare e olhe para o que está acontecendo. Vamos entender o que essa lentidão momentânea e consciente tem a dizer, que notícias ela traz desse momento da vida daquela pessoa.

Geralmente a procrastinação é um sintoma. É a ponta do iceberg. Ela traz muitas coisas consigo que vão além da superfície. O que mais vejo na minha prática profissional tem a ver com medo, auto-sabotagem, insegurança, baixa autoestima, angústia, bloqueio criativo, falta de sentido ou de tesão, incapacidade de assumir o que se quer, entre outras coisas. Cada um desses tópicos merece um texto, ou melhor, um livro em si, então não vamos nos aprofundar agora, certo?

> O que quero é sugerir que você pare e reflita a respeito do que faz você procrastinar. E busque entender o que esse sintoma está querendo dizer. Essa é uma maneira muito potente de ir mais fundo e se ouvir, buscar sua verdade e aceitá-la. Acolher seu momento é a melhor forma de sair dele.

Proponho uma atividade para ajudar você nessa reflexão.

Exercício 17

Reserve um tempo para você, de preferência sozinho e sem interrupções, de aproximadamente 30 a 50 minutos. Procure estar num lugar confortável e, se possível, feche os olhos, respirando profundamente umas três vezes ou até conseguir deixar os pensamentos mais quietos, as preocupações de lado...

Então, com o auxílio de papel e caneta ou outro meio que você escolher, comece a atividade:

1º Passo Responda: em quais situações específicas da minha vida estou procrastinando agora? Escreva de maneira sucinta e precisa, como por exemplo: não terminei o projeto X. Não comecei a fazer ginástica. Estou usando muito tempo para fazer tarefa Y. Não estou conseguindo terminar tal coisa. Estou adiando a conversa com fulano.

2º Passo Depois olhe para essas situações que você escreveu e as leia com compaixão. Procure simplesmente aceitá-las, contemplá-las, sem julgá-las. Sei que é difícil não julgar, mas ao menos tente. Ao observar essas situações, procure apenas abrir espaço para que elas mesmas digam coisas a você.

3º Passo Se for o caso, pergunte-se: o que essa situação quer me dizer? O que há aqui, além da superfície? O que eu estou deixando de fazer de verdade? O que está por trás dessa procrastinação que eu não estou querendo ou podendo ver?

4º Passo Veja quais fichas caem, se caem, o que surge. Aceite o que veio, agradeça e só. Guarde tudo e retome sua vida. Se for dormir, boa noite. Se for voltar ao trabalho, bom trabalho. **Não** mexa mais no exercício.

5º Passo Após alguns dias (de 3 a 5 dias), volte ao que você anotou. Novamente observe as situações de procrastinação. Veja se alguma delas você já pode mexer e realizar. Anote as ações que têm que ser feitas.

6º Passo Faça.

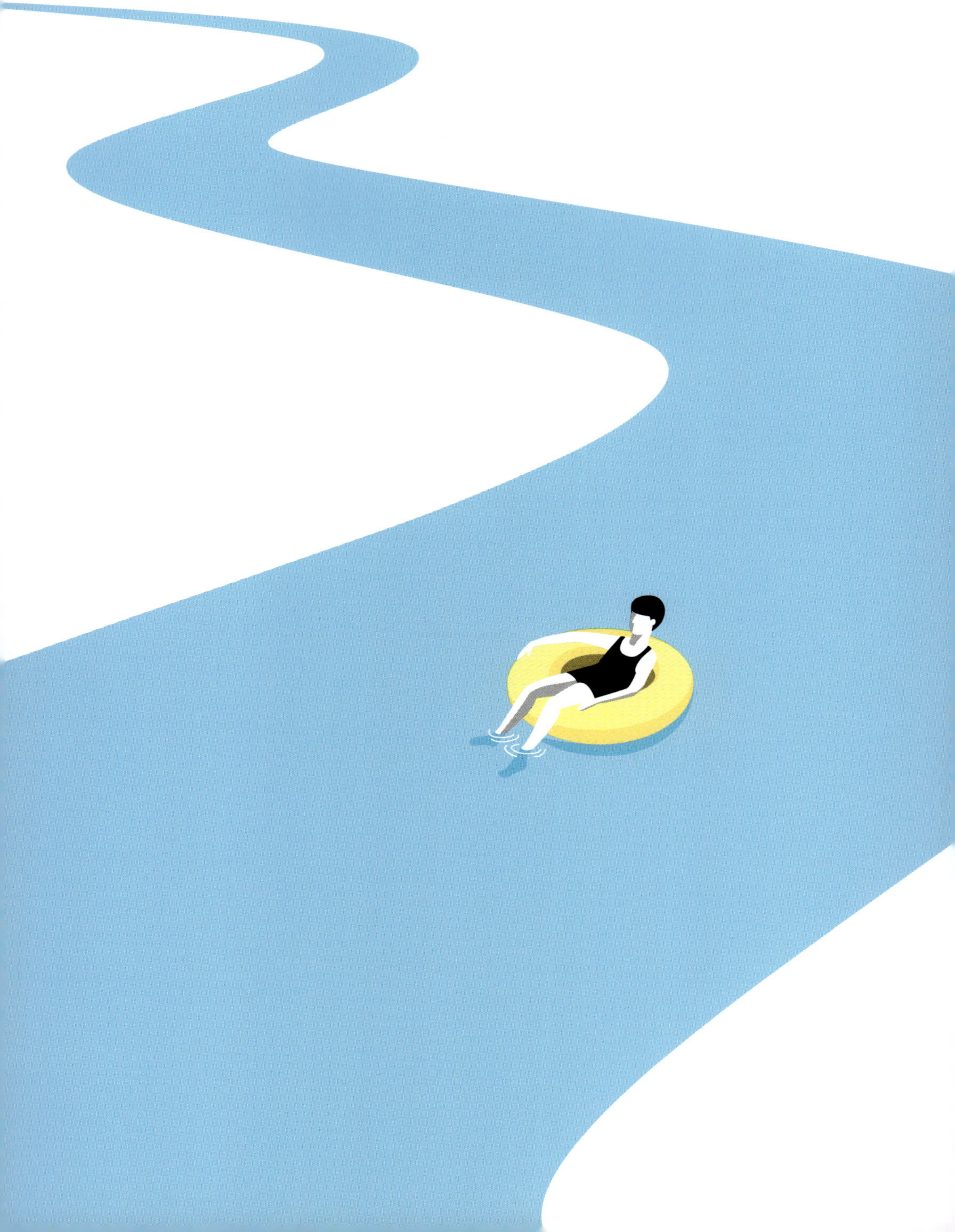

18

Para onde seu próprio rio leva você?

No texto anterior, mencionei a questão do tempo como fator relevante para revelar o que é de fato importante. Em oposição, coloquei Kairós e Chronos. Chronos é o tempo das coisas, das correrias. O tempo das metas, das datas, dos aniversários, das projeções, das entregas, das expectativas, da curiosidade. Um tempo objetivo e diretivo.

Kairós me vem como o tempo não linear, da natureza, do curso das águas de um rio, das emoções, da fotossíntese, do brotar, da contemplação. Tempo de a semente rasgar a casca e nascer, das ondas marcarem uma pedra, de um sorriso se abrir, de uma criança começar a andar. Tempo dos aprendizados, dos afetos, das memórias, da reflexão.

Quando nos damos conta de que, por exemplo, há um rio canalizado correndo por sob a calçada, por baixo da rua em que você está agora, podemos vislumbrar um pouco dessa possibilidade do tempo Kairós: ao lembrar que o rio continuar a ser rio, e que ele continua a ter seu tempo particular de curso, buscando seu caminho natural, sua fluidez.

Exercício/reflexão 18

> Então, foi com essa intenção em mente que provoquei você a pensar no texto anterior e o faço novamente: apesar de talvez estar canalizado, soterrado e adaptado ao meio, seu rio ainda o é. E se isso é válido para você, pergunto: que rio é o seu? Que caminhos vem fazendo? Para onde ele leva você, mesmo que não queira ou sequer perceba?

Portanto, atenção ao seu rio. Ele pode te mostrar para onde deságuam suas águas naturais, que é aquilo que você veio aqui para fazer e que faz sua alma vibrar.

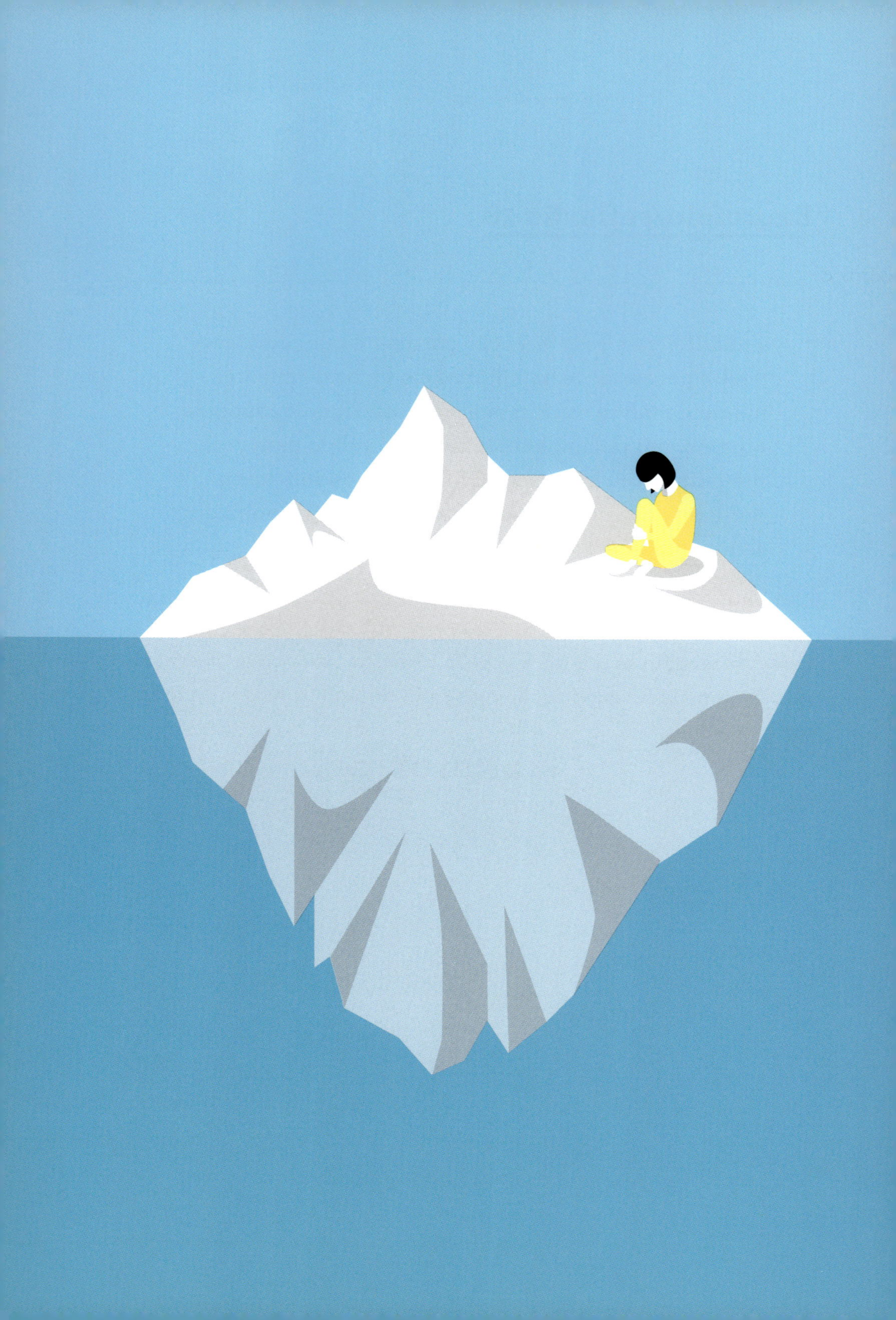

19

Saindo da mentalidade da escassez. Como me transformei usando esse exercício

Começo este texto com uma confissão íntima: uma das coisas mais difíceis para mim é aprender a confiar e ter fé. Vim de uma família que sobreviveu à Segunda Guerra Mundial e fui criada na cultura invisível da desconfiança. Significa ter pouca confiança nas pessoas e, principalmente, um olhar apurado para a escassez. Não para evitá-la, mas para mantê-la.

Sem julgamentos, hoje vejo que cresci em um ambiente que valorizava o que fosse quase impossível de se obter, desprezava o que fosse naturalmente abundante e desconfiava do afeto entre as pessoas – o que me moldou fortemente. A virada do jogo só começou a acontecer recentemente, quando me dei conta de que conservei por toda a vida essa crença de não merecer ou acreditar na abundância. E, finalmente, com muita coragem no peito, tomei a firme decisão de abrir mão dessa forma de encarar as coisas – o que vem transformando completamente minha vida.

Claro que minha história de família me influenciou imensamente, mas estamos de alguma forma todos imersos nessa cultura da escassez. Não percebemos que há abundância e vamos atrás das migalhinhas:

19. Saindo da mentalidade da escassez. Como me transformei usando esse exercício

> **buscamos os relacionamentos que pouco agregam, queremos o peso/altura que não nos é ideal, validamos o chefe/parente/cliente que reflete nossa cultura e diz: "O que você está fazendo não é suficiente, quem você é não é bom o bastante", o que gera uma angústia imensa.**

Então, digo a você: para sobreviver nessa cultura de escassez aprendemos a ficar com o radar ligado no que falta, e não no que já somos e temos!

Não vamos nos esquecer de algo muito importante: o meio em que estamos nos conforma, e vice-versa. Se seu ambiente, em qualquer área da vida, é de escassez, insegurança e sobrevivência, é a ele que você vai se moldar e vai continuar contribuindo para que se conserve como é. Não tenha dúvida. Mas, se você passa a reconhecer que o que você tem e é já basta, ao menos para começar, a coisa toda começa a mudar de figura.

Tenho aprendido, a duras penas, que a jornada para sair dessa mentalidade de escassez passa por alguns caminhos, e um deles eu já vou compartilhar com você. Mas, mais do que tudo, me dei conta de que este é um processo – ou seja, longo, nem sempre fácil e que demanda uma reflexão constante. Mas que vale **muito** a pena.

Fazer a passagem da crença arraigada no medo e na escassez para o novo padrão de emocionalidade, que é o da Validação de Si e do Sentir-se na abundância, é um dos pontos mais impactantes de meu trabalho de *coaching* – requer delicadeza e firmeza, mas sem perder os olhos amorosos sobre quem está ali. Não à toa escolhi fazer o que faço, e como faço: eu aprendo e me transformo junto! Depois que conseguimos passar por essa etapa, meus clientes me dizem que se sentem empoderados, grandes, corajosos... livres para viver uma vida que passa a ter mais sentido para eles. Como não me sentir eu mesma liberta ao ver isso acontecer? É incrível e eu sou muito grata por isso.

Vou então pegar o gancho da gratidão e compartilhar aqui o que tenho feito comigo e com meus clientes do programa de *coaching* individual. É uma atividade feita em camadas, relativamente simples, mas bastante potente. É a prática do Reconhecimento e Gratidão. Agradecer nos dá a possibilidade de reconhecer e obter aquiescência de tudo que já somos e temos. A prática da gratidão é, portanto, uma das ações mais poderosas e viáveis para sair da mentalidade de escassez e abrir as portas da abundância (e que traz resultados incríveis, em curto espaço de tempo.)

Exercício 19

1ª Camada Colecione agradecimentos

Quero que você comece a colecionar agradecimentos e a se encher de gratidão, literalmente. Seja bem preciso e escreva todo dia, do seu melhor jeito, ao menos uma **situação real** que aconteceu no seu dia, pela qual você tem sentimento de gratidão. Depois, coloque o que escreveu em lugar visível. Inspirações: você pode usar post-its, cadernos, recados em painéis espalhados pela casa ou papéis colocados num potinho etc.

Dica: quanto mais precisa for sua descrição, melhor.

Exemplo: eu agradeci porque minha vizinha ficou com meus filhos por duas horas e pude trabalhar neste texto.

2ª Camada Registre sua reflexão, anote o que sentiu

A cada dia, após escrever, releia os papéis anteriores. Anote então o que sentiu ao lê-los em um caderno, em seu blog ou onde for. Você escolhe o melhor meio, desde que possa reler seus registros com facilidade. Você verá que, ao fim de poucos dias, já terá um incrível material para reflexão. Opcionalmente, você pode compartilhar com alguém, como um amigo próximo, um terapeuta ou mesmo seu *coach* – os *insights* que tenho com meus clientes quando fazemos isso são poderosos (para eles e para mim também!).

3ª Camada Faça uma revisão e conecte com as emoções

Ao final da semana, faça uma revisão geral, relendo todos os agradecimentos e também as reflexões. Conecte-se com as sensações positivas que surgirem (se vierem pensamentos negativos, escreva livremente e sem filtro sobre eles).

Essa etapa é fundamental. Se você conseguir continuar fazendo isso, aos poucos vai perceber o aspecto mais importante (e sutil) de todo esse processo: conectar-se e validar as emoções que são de fato ampliadoras de você, que criam campos de possibilidade e libertam. Ou seja, você vai aos poucos aprendendo o que é se sentir bem, válido, confiante, abundante – e mudando seu padrão mental da Escassez para a Abundância.

Por fim, não esqueça que abundância atrai abundância... então não estranhe se coisas muito legais começarem a acontecer!

P.S.: Falando em filhos, toda noite, na hora de dormir, eu faço com eles uma rodada de gratidão e pergunto: Qual a coisa mais legal do seu dia, pela qual vocês querem agradecer? É sempre uma farra, porque eles percebem que sempre têm muito mais do que uma só coisa legal pra agradecer!

P.S.2: Segundo uma especialista que ouvi recentemente num workshop, nosso corpo demora 28 dias para entender que algo mudou. E depois mais 28 dias para começar a transformar esse algo em um novo padrão. Mantenha a prática e calibre a fé – você verá resultados em breve.

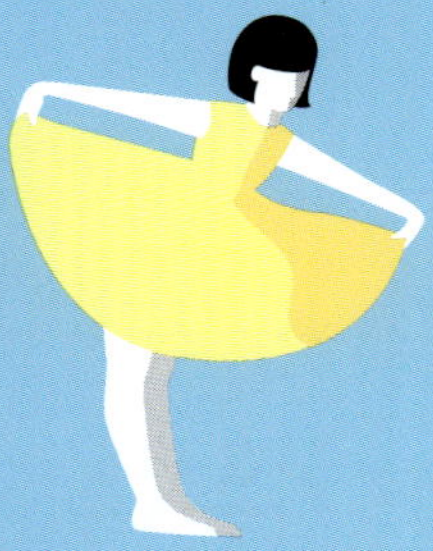

20

Agradecer para quê?

Gratidão. Nos últimos meses, tenho notado essa palavra sobrevoando os meios de comunicação. Reparou? Está em tudo que é lugar: seja em posts no Facebook de páginas de autoconhecimento ou de gurus de diversas origens, passando pelas bem dispostas capas de livros de autoajuda nos aeroportos, me parece que essa palavra está na moda.

Não fui criada para agradecer, nem para reconhecer, confesso. Como disse, sou filha de sobreviventes da Segunda Guerra, e fui a primeira a nascer em solo brasileiro. Meus pais conseguiram chegar aqui depois de vários percalços e muitas perdas duras no caminho. E eles se tornaram descrentes nessa jornada. Descrentes da humanidade, da conexão espiritual, da abundância do universo, da fartura que é a vida. Ou seja... agradecer? Pelo quê, mesmo? Imagino que eles devem ter se feito essas perguntas muitas vezes.

Eu não os julgo. Eu não faço ideia do que seja perder toda sua família, sua casa, sua identidade, sua dignidade. Eu só sei que fomos criados desse modo: sobreviver. E o modo de sobrevivência é aquele em que estamos constantemente desconfiados e de olho no que falta. Não percebemos o que **já** temos. Não nos damos conta do que já conseguimos, da abundância que já nos cerca.

20. Agradecer para quê?

> Então, até muito recentemente, eu me conservava nessa deriva, mais de olho no que não tinha, realçando mais minhas falhas do que minhas conquistas. Não me dando o direito de desfrutar o que eu mesma já tinha conseguido. Até porque, cá entre nós, parecia que meus feitos não tinham efeito – tamanho o buraco sempre presente do que AINDA faltava por fazer ou mesmo me tornar.

Uma hora, porém, algo aconteceu. Alguém muito próximo me disse recentemente (muito recentemente, aliás): "Você já É. Relaxe. Aceite. Assente-se em você mesma. Perceba-se com imperfeições, com falhas, com tudo. Você já é, e eu amo e admiro você por isso".

Acho que meu chão se abriu logo abaixo dos meus pés, porque depois foi silêncio puro. Então me dei conta do **tudo** que eu sou, tenho, fiz, conquistei, errei, falhei... e agradeci. Agradeci por aquela pessoa ter me permitido ver que tudo que sou não só para mim, mas para ela também. E para meus filhos, para meus pais, meus amigos... não sou uma falha apenas. Não. Sou mais que isso. Sou um ser legítimo, válido, digno de amor. Tipo incrível! ☺

Restou-me deixar-me estarrecer pela chuva de coisas pelas quais eu tinha que agradecer. Era muita coisa. Tanta coisa que resolvi escrever num caderno. Escrevi horas a fio, feliz, aliviada. E todos os dias eu agradeço, em sinal de celebração e reconhecimento pelo que já fiz. Ou pelo que está para acontecer.

Volto, portanto, ao começo do texto: para que agradecer? Para consolidar seu caminho, para colocar um degrau sobre o qual você põe seu pé antes de dar o próximo passo. Para reconhecer o quanto você já **é**. Quanto tem de coisa boa em você. Para se dar conta da abundância em que está imerso. Para parar de reclamar. Para mudar a energia. Para se dar conta de suas conexões com os outros, do quanto você é parte desse emaranhado de 7 bilhões de pessoas, do quanto você é importante.

Exercício 20

Sugiro uma atividade singela: reconheça e agradeça. Todo dia, ao menos três coisas, das mais simples às grandes conquistas. Você pode ter um caderninho onde anota isso, ou fazer como vi outro dia no Face e fazer o pote dos agradecimentos. Escreva em papéis pequenos o que quer reconhecer/agradecer e coloque num potinho, desses com tampa. Se quiser, ponha data.

Ao final do mês ou da semana, abra o pote ou caderno. Leia.

Você vai se dar conta de **tudo** que já fez e perceber o quanto você é. Já é.

Conclusão

Que bom ver que você chegou até aqui, nesta conclusão que é mais começo do que fim.

Pensando em tudo que acabou de ler e fazer, proponho que você reflita sobre de que forma foi impactado.

- O que ficou de mais marcante?
- Que ações decidiu tomar a partir de agora?
- Que recursos você já tem para fazer o que decidiu?

Sugiro que você escreva as respostas num papel, o que pode ajudar a ter mais clareza sobre suas próprias impressões. Não se preocupe se as respostas demorarem a aparecer, nem se elas sequer derem as caras. O essencial é ter a clareza sobre uma única coisa: o desejo de mudança.

Há várias maneiras de se reconectar consigo mesmo, trazendo alma para aquilo que você faz ou deseja fazer de forma verdadeira. Eu posso e quero apresentar esses caminhos para você.

Visite a minha página www.karinnaforlenza.com.br para saber como posso ajudar você nesse processo desafiador, transformador e maravilhoso.

Com amor e com alma,

Karinna Forlenza

Mais sobre mim...

Além de mãe de Olívia e Benjamin, sou *coach* com alma, escritora nas horas vagas, colunista, facilitadora de grupos para mulheres e homens, apresentadora dos meus vídeos, artista-crafiteira, aprendiz ativa de tudo que envolve desenvolvimento pessoal e profissional.

Minha primeira certificação internacional como Coach foi em 2005, com o Dr. Rafael Echeverria, pela New Field Internacional Education, nos Estados Unidos. Depois fiz formação em Biologia Cultural com o Prof. Dr. Humberto Maturana, um dos maiores pensadores vivos da atualidade.

Sou formada em Administração de Empresas pela FAAP, com extensões pela FGV, USP e IEDE – Madrid. Sou também pós-graduanda em Arte Terapia pela UNESP de São Paulo.

Fui executiva em instituições de diferentes portes como Rogatis Family, Vivo, Instituto Vivo, Instituto Ethos e Lloyds Bank, e especializei-me em lidar com gestão estratégica aplicada à complexidade dos aspectos humanos e sociais. Minha experiência profissional de mais de 20 anos me ajudou a ser pragmática e objetiva e, minhas formações, a juntar profundidade e concretude. Desejo ao planejamento. Ideias à preparação. Essência em plano.

Hoje atendo clientes do Brasil e de fora como coach, facilito grupos de *coaching* e coordeno ciclos de homens e também de mulheres. Para saber mais sobre estes e outros serviços, bem como receber gratuitamente dicas cheias de alma, conecte-se comigo em www.karinnaforlenza.com.br ou www.facebook.com/karinnaforlenza

Copyright © 2016 by Karinna Forlenza.

Grafia atualizada segundo o Acordo Ortográfico da Língua Portuguesa de 1990, que entrou em vigor no Brasil em 2009.

Preparação de texto
LIZANDRA MAGON DE ALMEIDA

Revisão
MARINA FIUZA E VIRGÍNIA VICARI

Direção criativa
FORESTI DESIGN

Projeto gráfico e diagramação
MIKKA MORI

Capa e ilustrações
FILIPA PINTO

Forlenza, Karinna.
    Propósito; 20 dicas para Você Criar o Seu. Karinna Forlenza / ilustração Filipa Pinto – 1ª. ed.
    – São Paulo : Pólen, 2016.
    136 p.

    ISBN 978-85-98349-32-9

1.   Comportamento 2. Auto Ajuda I. Título. II. Pinto, Filipa

14-01752   CDD 111/152.4/158.1

2016
Todos os direitos desta edição reservados à
PÓLEN LIVROS
Telefone: (11) 3675-6077
www.polenlivros.com.br

FONTE Adobe Garamond Pro e Archer
PAPEL Couché fosco 115g/m²
IMPRESSÃO Gráfica e Editora Rettec
TIRAGEM 2.000 exemplares